# Starks-Sture
# VERLAG

**borderline brach herz**
*Hilfe zur Trennungsverarbeitung für Borderline-Partner*
Sonja Szomoru, Viola Valentin, Bert Engel, Lukas
ISBN 3-9809496-5-6
13stellig: 978-9809496-5-6
4. Auflage 2009

© 2005 Starks-Sture Verlag
Elsässerstr. 24, 81667 München
www.starks-sture-verlag.de

Lektorat: Tino Krense, München
Druck: Advantage Printpool GmbH, Gilching

Das Werk einschließlich aller Abbildungen ist urheberrechtlich geschützt. Jede Verwertung außerhalb der Grenzen des Urheberrechtsgesetzes ist ohne Zustimmung des Verlages unzulässig und strafbar. Das gilt besonders für Vervielfältigungen, Übersetzungen, Mikroverfilmungen und die Einspeicherung und Bearbeitung in elektronischen Systemen.

# borderline brach herz

### - Hilfe zur Trennungsverarbeitung für Borderline-Partner -

Sonja Szomoru - Viola Valentin - Bert Engel - Lukas

Gewidmet all denen, die jetzt den gleichen Schmerz durchleben,
wie wir es bereits mussten.

# Inhaltsverzeichnis

Vorwort .................................................................. 7

**1. Die Borderline-Persönlichkeitsstörung** ............................... 10
- Grundsätzliches zur Borderline-Persönlichkeitsstörung
- Kriterienkataloge
- Sind wir nicht alle ein bisschen borderline?
- Umgang mit Borderline-Persönlichkeiten

**2. Die Struktur der Partner von Borderline-Erkrankten** ............... 24
- Gemeinsamkeiten Angehöriger von Borderline-Persönlichkeiten
- Bedeutung einer Beziehung zu einer Borderline-Persönlichkeit
- Tendenzieller Beziehungsablauf

**3. Die Trennung** ........................................................ 37
- Dramatik gehört immer dazu
- Trennungshilfen

**4. Nach der Trennung** .................................................. 42
- Traumatisierung
- Werteverlust
- Die zentrale Frage nach dem Warum
- Die erste Erleichterung
- Wechsel zwischen Wut, Schmerz und Schuldgefühlen
- Haben Borderliner ein Gewissen? Die „Schuld" wird nie gesühnt
- Warum hört der Schmerz nicht auf?

**5. Der Weg ins neue Leben** .................................................... **59**
- Die Zeit heilt alle Wunden - lassen Sie den Schmerz zu!
- Therapie und Menschen
- Sich selbst verzeihen
- Werte neu ordnen und Grenzen wieder finden


**6. Schwarz-weiße Fallbeispiele** ............................................. **66**
- Viola
- Sonja
- Bert
- Lukas


**7. Ein Verzeihen gibt es nicht??** ............................................ **112**


**8. Das große Geschenk, dass wir durch Borderline erhielten**........... **115**


**9. Nachwort**..............................................................**117**


Für den Inhalt verantwortlich: Sonja Szomoru
Für die Fallbeispiele verantwortlich: die Autoren

*Man stirbt mit der Trennung..., weil ein Herz es nicht verkraftet, wenn man dort seine Liebe mit Gewalt herausreißen muss...*

Ein Betroffener

**Vorwort**

Dieses Buch ist an Partnerinnen und Partner von Borderline-Persönlichkeiten gerichtet, die den Wunsch haben, sich von ihrem Partner zu trennen oder dies bereits getan haben und unter dem Trennungsschmerz leiden. Es hat das Ziel, die Trennungsverarbeitung zu erleichtern, denn neben den Problemen die ein „normales" Auseinandergehen mit sich bringt, ist die Aufarbeitung einer „Borderline-Beziehung" um ein Vielfaches schwieriger. Dies, weil zusätzlich zum Trennungsschmerz eine leichte bis mittelschwere, selten sogar eine starke Traumatisierung entstanden ist. Außerdem werden die Partner üblicherweise mit ihren Problemen alleine gelassen, denn die Umwelt kann die besondere Dramatik, die so eine Trennung mit sich bringt, nicht verstehen und ist oft damit überfordert.

In diesem Buch wird nur kurz auf die eigentlich weitgreifende Symptomatik der Borderline-Persönlichkeitsstörung eingegangen, denn hier geht es hauptsächlich um Hilfe für Ex-Partnerinnen und Ex-Partner nach einer Trennung. Wer sich eingehender mit der Borderline-Persönlichkeitsstörung befassen möchte, was zu empfehlen ist, weil diese Persönlichkeitsstörung äußerst komplex ist, dem sei das Buch der Autorin Sonja Szomoru „Partnerbeziehung als Brutstätte von Borderline" oder andere einschlägige Literatur empfohlen.

Wir, die Autoren, sind Ex-Partner/innen von Borderline-Persönlichkeiten, haben jeweils dramatische Trennungen hinter uns und Monate voller schmerzvollster Momente/Tage/Wochen durchlebt. Wir haben sie überstanden, auch wenn wir manchmal dachten, dass der Schmerz nie aufhören wird. Wir sind uns sicher, dass auch Sie es einmal überstanden haben werden. Und wir garantieren Ihnen, dass Sie, wenn Sie einmal auf diese Beziehung ohne Schmerz zurückblicken können, erkennen werden, dadurch einen Riesensprung in Ihrer eigenen persönlichen Entwicklung getan zu haben.

Auf jeden Fall wissen wir um den tiefen Schmerz, den Sie fühlen, und hoffen, ihn mit diesem Buch ein wenig lindern zu können.

Zwischen dir gibt es so viele Widersprüche,

dass es meine Seele in den Kampf zieht.

Mit weißer Fahne läuft sie zwischen deine Fronten

und hätte doch so gerne, dass eine Seite siegt.

## 1. Die Borderline-Persönlichkeitsstörung

**Grundsätzliches zur Borderline-Persönlichkeitsstörung**

Nach Schätzungen sollen etwa 2% der deutschen Gesamtbevölkerung an der Borderline-Persönlichkeitsstörung, im folgenden BPS genannt, erkrankt sein. Die Hauptbetroffenen sind demnach zu 70% Frauen. Dagegen spricht jedoch, dass Männer, die an Borderline erkrankt sind, eher aggressives, antisoziales Verhalten an den Tag legen und dies in vielen Fällen zur Kriminalisierung führt. Deshalb wird die Störung nicht diagnostiziert. Von den an sich schon wenig therapiebereiten Betroffenen brechen etwa die Hälfte eine angefangene Therapie wieder ab. Bis zu einem Zehntel der Erkrankten begehen Suizid, bei depressiver Symptomatik begehen 100% Suizidversuche.

<u>Symptome der BPS</u>

1. Impulsivität und Unberechenbarkeit
Das Leben von Borderline-Persönlichkeiten gleicht einer Achterbahn, die extremen Ups und Downs können Stunden, selten länger als einige Tage anhalten. Emotionen können nicht kontrolliert werden. Neben euphorischen Gefühlen reichen sie von panischer Angst und archaischer Wut bis zur Lust am Zerstören, sowie zu übermäßigen Scham- und Schuldgefühlen. Das Verhalten ist aufgrund mangelnder Impulskontrolle von plötzlich wechselnden Gefühlen geprägt. Dies reicht von klammernder Abhängigkeit zu zorniger Manipulation und kann von Dankbarkeitsergüssen zu irrationalem Hass wechseln.

Die Grundstimmung ist eher pessimistisch und Depressionen nicht selten. Sie werden aber nicht unbedingt ehrlich nach außen gezeigt. Es geht nur um den Augenblick, das Erleben im Jetzt. Der Durchbruch übermäßiger Wut beispielsweise steht oft in keinem Verhältnis zu den Frustrationen, die sie auslösen und richtet sich besonders gegen nahe stehende Personen, wie Partner, Eltern und Kinder. Exzessives Verhalten liegt oft vor und kann sich in den Bereichen Sexualverhalten, Geldausgeben, Substanzmissbrauch, rücksichtsloses Fahren und durch ausgeprägte Essstörungen zeigen.

## 2. Intensive zwischenmenschliche Beziehungen

Das Leben ist geprägt von unangemessen intensiven, häufig wechselnden Beziehungen. Bis auf einige Ausnahmen, in denen Beziehungen mehr als 2 Jahre dauern, beträgt die Dauer etwa zwischen 5 und 20 Monaten, begleitet von mehreren Trennungen „aus heiterem Himmel". Durch chronische Gefühle von Leere und Langeweile werden schnell Beziehungen eingegangen, das Alleinsein scheint unerträglich, bewusste Partnerwahl findet nicht statt. Häufig werden vorschnell Ehen eingegangen oder es erfolgt ein rasches Zusammenziehen in eine gemeinsame Wohnung, meist durch Einzug beim Partner. Die Beziehungen zeichnen sich dadurch aus, dass der Beziehungspartner durch extreme Verschiebungen der Einschätzung zwischen Abwertung und Idealisierung schwankt. Dies ergibt sich aus der bei der Borderline-Persönlichkeit fehlenden „Objektkonstanz", das heißt, es fehlt die Fähigkeit, andere Menschen als komplexe Menschen wahrzunehmen. Die Mitmenschen können einmal als wohltätig unterstützend und einmal als grausam bestrafend erlebt werden. Kennzeichnend ist auch, dass sich die Borderline-Persönlichkeit in einer eben begonnenen Beziehung scheinbar vollkommen aufgibt. Es sieht so aus, als würde sie nur noch für ihren neuen Partner leben.

## 3. Idealisierung/Abwertung, Schwarz-Weiß-Denken

Borderline-Persönlichkeiten entwickeln eine große Abhängigkeit zum Partner, der solange idealisiert wird, solange die Bedürfnisse der BPS befriedigt werden. Erfolgt eine Zurückweisung oder Enttäuschung, verfallen sie in das andere Extrem und werten den Partner unnachgiebig ab. Es kann zu eskalierenden „Szenen" kommen oder zu starken Gefühlen der Hilflosigkeit bis hin zu Selbstverletzung oder gar Suiziddrohungen bzw. -versuchen. Genauso verhält es sich mit dem Schwarz-Weiß-Denken. Die ganze Welt wird in Gut oder Böse eingeteilt. Graue Zwischentöne können nicht gesehen werden. Wobei auch diese Gefühle nicht konstant sind. Was heute noch gut bzw. böse war, kann morgen genau anders herum bewertet werden. In der Idealisierungsphase zeichnen sich Borderline-Persönlichkeiten oft durch unglaublichen Charme und Esprit aus, können jeden Wunsch von den Augen des Partners ablesen und auch erfüllen. In der Abwertungsphase ist der Partner „der letzte Dreck" und auch hier scheint es, dass die Borderline-Persönlichkeit einen 7. Sinn für wunde Punkte beim Partner besitzt.

Das Selbstbild ist geprägt von Extremen: Manchmal hält sich die Borderline-Persönlichkeit für den größten, klügsten, tollsten Menschen und eine Minute später sieht sie sich selbst als den letzten Dreck. Den Grund für dieses Verhalten nennt man Spaltung. Das bedeutet, dass eine Umgebung so widersprüchlich ist, dass einfach ein Teil davon komplett ausgeblendet bzw. verleugnet wird, um nicht verrückt zu werden. Normale Menschen sind ambivalent, das heißt, sie können zwei sich widersprechende Gefühlzustände auf einmal erfahren. Borderline-Persönlichkeiten kennen nur Entweder/Oder, wobei sie in diesem Moment den jeweils anderen Gefühlszustand völlig vergessen. Erfährt beispielsweise ein Kind von einer Person, die ihm ansonsten Nähe und Geborgenheit geben soll, sexuelle Gewalt oder Gewalt in anderer Form, so erlebt das Kind seine Umgebung als unerträglich widersprüchlich und es blendet die eine oder andere Seite vollkommen aus. Später als Erwachsener, behält es dieses Beziehungsschema bei, weil die Erfahrung gemacht wurde, dass nur so ein Überleben möglich ist. Mit diesem Hintergrund ist auch das zwanghaft manipulierende Verhalten gegenüber anderen Menschen zu verstehen. Die Spaltung ist ähnlich der Dissoziation, eine nicht-willentliche Abspaltung des Erlebens vom Ich. In der Dissoziation wird durch Trigger (meist banale Auslöser für traumatische Hintergründe) ein Überlebensmechanismus ausgelöst (häufig Angst vor Verlassenwerden), um mit unerträglichen Gefühlen wie Schmerz oder Todesangst umzugehen. Von Betroffenen werden diese Phasen als „Wegdriften" bezeichnet, in denen sie zwar real gehandelt haben, sich aber hinterher an nichts mehr erinnern können.

4. Panische Angst vor dem Verlassenwerden
Wegen ausgeprägter Abhängigkeit wird die Borderline-Persönlichkeit manchmal von panischer Angst vor dem Verlassenwerden ergriffen. Diese Angst kann auch aus völlig eingebildeten Gründen entstehen. Ursächlich entspringt sie aus dem verzweifelten Bemühen um Kontrolle ihrer zwischenmenschlichen Beziehungen, wenn die gewohnten Mechanismen nicht mehr funktionieren. Auf der einen Seite ist dann das ausgeprägte Bedürfnis nach großer Nähe, nach symbiotischer Verschmelzung vorhanden und auf der anderen gleichzeitig die Angst vor allzu großer Nähe, denn hier würde die Borderline-Persönlichkeit ihre Kontrollmechanismen verlieren. So muss sie verzweifelte Anstrengungen unternehmen, um aus der bedrohlichen Abhängigkeit zu fliehen. Sobald jedoch zu

viel Abstand entsteht, verliert sie den Kontakt mit Teilen ihrer Selbst und es entsteht wieder eine panische Angst des Verlassenwerdens. Die Angst zeigt sich dann in völlig unangemessenen Aktionen, wie Telefon-/SMS-/E-Mail-Terror, aggressivem Verhalten, körperlichem Festhalten des Partners oder manipulativen Verhaltensweisen wie Vortäuschen von Krankheit bis hin zu Suiziddrohungen. Selbst wenn Bezugspersonen sich nur wenige Minuten verspäten, kann dies Auslöser für plötzliche Verzweiflung sein.

5. Identitätsunsicherheit, Gefühle von Leere und Langeweile

Es tritt häufig eine Identitätsstörung auf, die durch ein deutlich und andauerndes instabiles Selbstbild charakterisiert ist. Oft finden plötzlich dramatische Wechsel in der Zielsetzung, den Wertvorstellungen und von Berufswünschen statt. Die Betroffenen wechseln unter Umständen von der Rolle eines hochnäsigen Rächers in die Rolle eines hilfesuchenden Bittstellers. Manchmal haben sie auch das Gefühl, überhaupt nicht zu existieren. Sie erleben ihre Selbstgrenzen nur, wenn sie mit dem idealisierten Objekt verschmelzen. Es wird nach Identifikation gehungert, um die innere Leere auszufüllen. Gleichzeitig begeben sie sich dadurch in die Gefahr des völligen Identitätsverlustes. Ein manchmal auftretendes Verhalten ist der Rückfall in kleinkindliche Verhaltensmuster.

6. Selbstzerstörung und Suizid

Personen mit BPS neigen zu selbstzerstörerischem Verhalten, wie beispielsweise selbst zugefügten Schnittverletzungen, exzessivem Drogen- und Alkoholkonsum, bis hin zu wiederholten Suizidhandlungen. Den selbstschädigenden Handlungen gehen gewöhnlich massive innere Spannungen voraus. Sie haben neben der Spannungsabfuhr häufig ein Gefühl der Entlastung zur Folge, beispielsweise indem sie bei Selbstverletzung durch den Blutfluss merken, dass sie noch am Leben sind oder für ein schlechtes Verhalten „gebüßt" haben. Selbstschädigendes Verhalten tritt meist auf, wenn der Kontakt zur Umwelt verloren ist, die Gefühle von Leere, völliger Hoffnungslosigkeit und/oder Einsamkeit vorliegen. Oft resultieren die häufigen Drohungen oder halbherzigen Selbstmordversuche nicht aus dem Wunsch zu sterben, sondern sind ein Versuch, Schmerz mitzuteilen, und die Bitte, dass andere eingreifen mögen. Trotzdem sollte man auch gewohnheitsmäßig wiederholte Drohungen nicht völlig ignorieren. Der Tod des Betroffenen könnte die Folge sein.

Abschließende Betrachtung
Bis zu einem gewissen Grad zeigen sich bei vielen Menschen mehr oder weniger Symptome, die auch eine Borderline-Persönlichkeit durchmacht. Die Grenzen zu dieser Störung sind zeitweise recht fließend und nur erklärbar, wenn man die Pathologie erkennt. Sobald diese Störung das eigene Leben oder das anderer negativ beeinflusst, die Symptome selbst nicht mehr in den Griff zu bekommen sind und das Leben beherrschen bzw. kontrollieren, ist von Krankheit zu sprechen.

## Kriterienkataloge

<u>Kriterienkatalog des DSM III von 1980</u> (Diagnostic and Statistical Manual der American Psychiatric Association, Borderline-Persönlichkeitsstörung)

<u>5 Symptome müssen zutreffen, um auf eine BPS hinzuweisen</u>

(1) Impulsivität oder Unberechenbarkeit in mindestens zwei Bereichen, die potentiell selbstschädigend sind, z. B. Verschwendung, Sexualität, Glücksspiel, Gebrauch psychotroper Substanzen, Ladendiebstahl, zu viel essen, Selbstbeschädigungshandlungen
(2) ein Muster von instabilen, aber intensiven zwischenmenschlichen Beziehungen, z. B. ausgeprägte Sprünge in den Einstellungen, Idealisierung, Abwertung, Manipulation (durchgängig andere Menschen für die eigenen Ziele benutzen)
(3) unangemessener, heftiger Zorn oder unzureichende Kontrolle über den Zorn, z. B. häufiges Zeigen von Gereiztheit, dauerndes Zornigsein
(4) Identitätsunsicherheit, die sich in Schwierigkeiten in verschiedenen Bereichen, die mit der Identität zusammenhängen, äußert, etwa im Selbstbild, in der Geschlechtszugehörigkeit, hinsichtlich langfristiger Ziele, der Berufswahl, Freundschaftsbeziehungen sowie Werten und Loyalität, z. B. "Wer bin ich?", "Ich komme mir vor wie meine Schwester, wenn ich gut bin"
(5) affektive Instabilität: deutliches Schwanken von normaler Stimmung zu Depression, Reizbarkeit oder Ängstlichkeit, die gewöhnlich einige Stunden und nur selten länger als einige Tage andauern, mit Rückkehr zu normaler Stimmung
(6) Alleinsein wird schwer ertragen, es gibt z. B. heftige Bemühungen, Alleinsein zu vermeiden, niedergeschlagen, wenn alleine
(7) körperliche Selbstbeschädigungshandlungen, z. B. suizidale Gesten, Selbstverstümmelungen, wiederholte Unfälle oder Schlägereien
(8) chronische Gefühle von Leere oder Langeweile

(Bei einem Alter unter 18 Jahren dürfen die Kriterien der Identitätsstörung nicht erfüllt sein)

Kriterienkatalog des DSM IV von 1994, (Diagnostic and Statistical Manual der American Psychiatric Association, Borderline-Persönlichkeitsstörung)

5 Symptome müssen zutreffen, um auf eine BPS hinzuweisen

(1) verzweifeltes Bemühen, tatsächliches oder vermutetes Verlassenwerden zu vermeiden. Beachte: Hier werden keine suizidalen oder selbstverletzenden Handlungen berücksichtigt, die in Kriterium 5 enthalten sind.

(2) Ein Muster instabiler, aber intensiver zwischenmenschlicher Beziehungen, das durch einen Wechsel zwischen den Extremen der Idealisierung und Entwertung gekennzeichnet ist

(3) Identitätsstörung: ausgeprägte und andauernde Instabilität des Selbstbildes oder der Selbstwahrnehmung

(4) Impulsivität in mindestens zwei potentiell selbstschädigenden Bereichen (Geldausgaben, Sexualität, Substanzmissbrauch, rücksichtsloses Fahren, "Fressanfälle"). Beachte: Hier werden keine suizidalen oder selbstverletzenden Handlungen berücksichtigt, die in Kriterium 5 enthalten sind.

(5) Wiederholte suizidale Handlungen, Selbstmordandeutungen oder -drohungen sowie Selbstverletzungsverhalten

(6) Affektive Instabilität infolge einer ausgeprägten Reaktivität der Stimmung (z. B. hochgradige episodische Dysphorie, Reizbarkeit oder Angst, wobei diese Verstimmungen gewöhnlich einige Stunden und nur selten mehr als einige Tage andauern)

(7) Chronische Gefühle von Leere

(8) Unangemessene, heftige Wut oder Schwierigkeiten, die Wut zu kontrollieren (z. B. häufige Wutausbrüche, andauernde Wut, wiederholte körperliche Auseinandersetzungen)

(9) Vorübergehende, durch Belastungen ausgelöste paranoide Vorstellungen oder schwere dissoziative Symptome

Kritik an der DSM-Katalogisierung: a) Die Kriterien 1, 3, 5, 7, 9 können auch bei ausschließlich Depressiven erfüllt sein Die Kriterien 1-3 und 5-9 können auch bei Schizophrenien auftreten. c) Die Kriterien 1-9 können auch in schizoaffektiven

Psychosen, bei schizoiden und narzistischen oder auch paranoiden Persönlichkeitsstörungen auftreten.
Außerdem ergäben sich rein rechnerisch bei DSM III 56 Typen und DSM IV gar 126 Typen der Borderline-Persönlichkeitsstörung.

Kriterienkatalog nach ICD 10 (Internationale Diagnosen der Weltgesundheitsorganisation)

F60.3 – Emotional instabile Persönlichkeitsstörung
Eine Persönlichkeitsstörung mit deutlicher Tendenz, Impulse ohne Berücksichtigung von Konsequenzen auszuagieren, verbunden mit unvorhersehbarer und launenhafter Stimmung. Es besteht eine Neigung zu emotionalen Ausbrüchen und eine Unfähigkeit, impulshaftes Verhalten zu kontrollieren. Ferner besteht eine Tendenz zu streitsüchtigem Verhalten und zu Konflikten mit anderen, insbesondere wenn impulsive Handlungen durchkreuzt oder behindert werden. Zwei Erscheinungsformen können unterschieden werden:

Ein impulsiver Typus, vorwiegend gekennzeichnet durch emotionale Instabilität und mangelnde Impulskontrolle und ein Borderline-Typus, zusätzlich gekennzeichnet durch Störungen des Selbstbildes, der Ziele und der inneren Präferenzen. Dieser Typus leidet unter einem chronischen Gefühl von Leere, hat intensive aber unbeständige Beziehungen und eine Neigung zu selbstdestruktivem Verhalten mit parasuizidalen Handlungen und Suizidversuchen. Man unterscheidet hierbei in 2 Gruppen:

F60.30 impulsiver Typus
Die wesentlichen Charakterzüge sind emotionale Instabilität und mangelnde Impulskontrolle. Ausbrüche von gewalttätigem und bedrohlichem Verhalten sind häufig, vor allem bei Kritik durch andere. Mindestens drei der folgenden Eigenschaften oder Verhaltensweisen müssen vorliegen, dabei muss Punkt 2 erfüllt sein:
- deutliche Tendenz, unerwartet und ohne Berücksichtigung der Konsequenzen zu handeln

- deutliche Tendenz zu Streitereien und Konflikten mit anderen, vor allem dann, wenn impulsive Handlungen unterbunden oder getadelt werden
- Neigung zu Ausbrüchen von Wut oder Gewalt mit Unfähigkeit zur Kontrolle explosiven Verhaltens
- Schwierigkeiten in der Beibehaltung von Handlungen, die nicht unmittelbar belohnt werden
- Unbeständige und unberechenbare Stimmung

F60.31 Borderline-Typus
Einige Kennzeichen emotionaler Instabilität sind vorhanden, zusätzlich sind oft das eigene Selbstbild, Ziele und „innere Präferenzen" (einschließlich der sexuellen) unklar und gestört. Meist besteht ein chronisches Gefühl innerer Leere. Die Neigung zu intensiven, aber unbeständigen Beziehungen kann zu wiederholten emotionalen Krisen führen mit übermäßigen Anstrengungen, nicht verlassen zu werden, und mit Suiziddrohungen oder selbstschädigenden Handlungen (diese können auch ohne deutliche Auslöser vorkommen).

Mindestens drei der vorher unter F60.30 erwähnten Kriterien müssen vorliegen und zusätzlich mindestens zwei der folgenden Eigenschaften und Verhaltensweisen:
- Störungen und Unsicherheit bezüglich Selbstbild, Zielen und „inneren Präferenzen" (einschließlich sexueller)
- Neigung, sich in intensive, aber instabile Beziehungen einzulassen, oft mit der Folge von emotionalen Krisen
- Übertriebene Bemühungen, Verlassenwerden zu vermeiden
- Wiederholt Drohungen oder Handlungen mit Selbstschädigung
- Anhaltende Gefühle von Leere

## Sind wir nicht alle ein bisschen borderline?

Borderline stellt heute, zwar in verschiedenen Ausprägungsgraden, aber dennoch ein überdurchschnittlich häufig anzutreffendes Beschwerdebild dar. Aus diesem Grund kann man die Borderline-Persönlichkeitsstörung durchaus als ein gesellschaftliches Problem betrachten.

Hierzu schreiben Jerold J. Kreisman und Hal Straus in ihrem Buch »Ich hasse dich, verlass mich nicht«: „Wie die Welt der Borderline-Persönlichkeit ist auch die unsrige eine Welt großer Widersprüche. Wir glauben angeblich an den Frieden, dennoch sind unsere Straßen, die Kinofilme, das Fernsehen und der Sport voll mit Aggressionen und Gewalttaten. [...] Selbstbewusstes Vorgehen und Tatkraft werden gefördert, Nachdenken und Selbstbeobachtung dagegen mit Schwäche und Unfähigkeit gleichgesetzt. [...] Dabei verlassen wir uns auf unsere Sehnsucht nach der Zeit, als alles noch einfach war, nach unserer eigenen Kindheit."

Bei genauerem Hinsehen gilt Borderline-Verhalten in unserer Gesellschaft als zeitgemäß. Interessanterweise attestiert man jemandem „viel Charakter", der weniger als die Norm gebändigt ist, sondern sich lebhaft und ausdrucksvoll verhält. Jemand, der einen klaren Standpunkt vertritt, mit allen Mitteln durchsetzt und andere Meinungen ins Unrecht setzt, wird als willensstark eingeschätzt. Ich habe Recht, der andere hat Unrecht. Osama bin Laden teilt die Welt in Gut und Böse. Doch auch Amerika zählt sich absolut zur guten Seite und wer nicht mitmacht, gehört automatisch zur Achse des Bösen. Es gibt nur noch schwarz oder weiß, keine Zwischentöne. Ich bin nur noch auf der guten Seite und die anderen sind auf der Schlechten. Das ist klassisches Borderline-Verhalten.

Schillernde Persönlichkeiten, wie etwa die Schauspielerin Jennifer Nitsch, die mit der richtigen Portion „Durchgeknalltsein" ausgestattet sind und mit ihren ausgeprägten Stimmungsschwankungen von „Himmel hoch jauchzend" bis „zu Tode betrübt" über die Medien zu Unterhaltern für „Normalos" werden, gelten als schick, weil sie ja ‚Künstler' und sowieso nicht zu verstehen sind. Sei das Verhalten noch so absurd, kaum ein Mensch würde sich darüber Gedanken machen, was die jeweilige Person wirklich bewegt, was hinter dem Verhalten steckt. Mitgefühl ist ausgeschaltet, man weidet sich an deren Ausschweifungen und Exzessen. Haltlosigkeit wird als bahnbrechend, als schöpferisch oder gar als genial bewertet. Der „Normalo" beginnt zu idealisieren, um sein von ihm empfundenes langweiliges Dasein zu verdecken. Auch das ist klassisches Borderline-Verhalten.

Auf der anderen Seite werden durch zunehmenden Werteverfall immer mehr verantwortungsscheue, nicht nur am Allgemeinwohl, sondern auch am Mitmenschen uninteressierte Egoisten herangezüchtet. „Nach mir die Sintflut" oder „Nimm, was du kriegen kannst" beschreibt die Haltung von Borderline-Persönlichkeiten, in Bezug auf ihre Einstellung, die „Welt als Zitze" zu sehen. Hier sind immer die anderen für das eigene Wohl verantwortlich und zum Geben verpflichtet. Genau diese Haltung wird gefördert nach dem Motto, „Jeder ist seines Glückes Schmied" und wer nicht schaut, wo er bleibt, seine Vorteile nicht nutzt, ist selbst Schuld. Jeder ist angehalten, seinen Vorteil ohne Rücksicht auf andere zu suchen.

Werte wie Moral, Pflichtbewusstsein oder Fleiß sind zur antiquierten Aussage mit verpönt konservativem, manchmal gar rechtsradikalem Inhalt verkommen. Gegenseitige Unterstützung, Mitgefühl und Solidarität wird zwar überall gepredigt, aber in Wirklichkeit, wenn es um die Umsetzung im täglichen Leben geht, belächelt man Menschen, die diese Werte auch wirklich leben, als „Weicheier", als „Gestrige", denen es an Power mangelt. Der sichtbare Erfolg heiligt, ja entschuldigt alles. Hinter die Fassade wird nicht mehr geschaut und sei es dort noch so verroht. Wie bei Borderline zählt nur der Moment und der Eigennutz ohne Rücksicht auf Werte.

In unserem System ist nichts mehr darauf ausgerichtet, dass es ein Leben lang hält. Im Gegenteil ist durch die Schnelllebigkeit der Zeit und die Ausrichtung auf grenzenloses Wirtschaftswachstum dauerhafte Haltbarkeit nicht erwünscht. Diese Einstellung überträgt sich natürlich auch auf Partnerbeziehungen, wie soll man in einer Gesellschaft eine dauerhafte Beziehung anstreben, in der Dauerhaftigkeit als Starre, Verhaftetsein und Unflexibilität angesehen wird. Passt die eine Beziehung nicht mehr, beginnt man halt eine neue.

Die häufig anzutreffende Borderline-Symptomatik könnte eine Auswirkung der gesellschaftlichen Verhältnisse sein, die seit Jahrzehnten weite Teile unserer

Kultur bestimmt. Extreme Haltlosigkeit, große emotionale Schwankungen und tief sitzende Ängste von "Borderlinern" sind höchstwahrscheinlich in vielen Fällen Auswirkungen einer auch emotional instabilen Kindheit, in der es in bestimmten Bereichen wenig Grenzen, wenig Sicherheit, aber viel Grund für Ängste (insbesondere emotionale Verlustängste und/oder emotionalen Terror) gab. Die Eltern waren nicht wirklich für ihre Kinder da und konnten ihnen nicht die Sicherheit geben, die ein Kind nun einmal benötigt. Heutzutage ist auffällig, dass viele Kinder zwar schon (sehr!) früh emotional reif und abgeklärt wirken, weil sie es in ihren instabilen und/oder karrieregeprägten Familien auch sein müssen, doch auf emotionalen Stress reagieren sie häufig inadäquat, entweder deutlich überzeichnet und unkontrolliert bis aggressiv oder gefühlskalt, scheinbar kaum berührt und nüchtern.

Gelingt es diesen Kindern nicht, zu lernen, sich selbst und ihre Bedürfnisse besser zu spüren (häufig ein schwieriges, durch sie allein kaum lösbares Unterfangen), dann werden das später jene "Borderliner", die sich auch als Erwachsene nie wirklich dauerhaft geborgen und angenommen fühlen können.

Diese Hypothese wird durch einschlägige Ergebnisse von Statistiken gestützt, die aufzeigen, dass "Borderline-Kinder" in signifikanter Häufigkeit Eltern haben, die ihrerseits an Neurosen und zum Teil schweren Persönlichkeitsstörungen litten. Diese Kinder lebten deutlich häufiger als die Kinder aus Vergleichsgruppen außerhalb ihrer Herkunftsfamilien (Adoptivfamilien, Pflegefamilien, Heime). Sie erlebten also häufiger Trennungen von ihren primären Bezugspersonen und von ihrer Wohnumgebung als andere Kinder. Diesen Trennungen gingen in der Regel bedeutsame Ereignisse, wie Tod der Eltern, Dissozialität oder Suchterkrankungen, Unfähigkeit zur Erziehung, Misshandlung oder sexueller Missbrauch voraus.

Diese Erkenntnis ist ein Grund mehr, sich darüber große Sorgen zu machen, wie wir in unserer heutigen Gesellschaft mit unseren Kindern umgehen. Wie wir ihnen die Welt zeigen und in welchem Maße wir ihnen ein gesundes Selbstwertgefühl vermitteln, das nur durch ein stabiles Elternhaus, das Vermitteln von Sicherheit und angemessene Aufmerksamkeit erreicht werden kann.

**Umgang mit Borderline-Persönlichkeiten**

Die wichtigsten Hilfen im Umgang mit Borderline-Persönlichkeiten sind klares Grenzensetzen, Verantwortlichkeiten klären und das gepaart mit Verständnis für die Krankheit und Mitgefühl für den Menschen. Das Aufzeigen von Grenzen ist nicht nur für den Partner enorm wichtig, sondern auch für die Borderline-Persönlichkeit. Weil Borderline-Persönlichkeiten dazu neigen, anderen für realistische Reaktionen auf ihr Verhalten Schuld zuzuweisen, müssen sie immer wieder daran erinnert werden, dass die Reaktionen anderer in erster Linie darauf basieren, was sie tun und sie auch Verantwortung für die Konsequenzen übernehmen müssen. Kennzeichen des Verhaltens einer Borderline-Persönlichkeit sind teilweise unreife bzw. kindliche Reaktionen.

Das Hin- und Herwechseln von einer unauffälligen und effizient funktionierenden Rolle zu einer katastrophal chaotischen Welt ist typisch. Deshalb muss der Partner in der Lage sein, stabile Verhaltensweisen aufzuzeigen. Das bedeutet im Falle einer Trennung, dass klares Grenzensetzen und vor allem Konsequenz die wichtigsten Werkzeuge sind, die Situation weitgehend unbeschadet zu überstehen.

Die im Buch „Schluss mit dem Eiertanz" von T. Mason und R. Kreger vorgestellte Deeskalations-Komunikation ist beim Umgang mit Borderline-Persönlichkeiten sehr hilfreich. Und zwar nicht nur um die Situation vor einer Eskalation zu bewahren, sondern auch als Haltung zur Grenzenwahrung für die Partnerin/den Partner. Auch ist diese Kommunikationsart allgemein im täglichen Leben nützlich, wenn eine Situation droht, zu einer Auseinandersetzung zu führen.

Man geht dabei davon aus, dass Menschen gewöhnlich bei einem Angriff/einer Attacke mit vier gängigen Verhaltensweisen reagieren, die aber jeweils meist zu einer Eskalation führen. Diese vier Verhaltensweisen sind Angriff, Abstreiten, Verteidigen oder Rückzug. Bei der Methode zur Deeskalation verzichtet man auf die üblichen Verhaltensweisen und lässt die Meinung des anderen, sei sie auch noch so unangemessen, stehen. Im nächsten Teil stellt man seinen eigenen Standpunkt in den Raum. So hat das Gegenüber das Gefühl, ernst genommen und verstanden zu werden und kann den Standpunkt des anderen besser annehmen.

Diese Haltung nimmt einer Auseinandersetzung die emotionale Spitze, worauf hin es dann möglich ist, in der Kommunikation auf ruhige Art weiter zu kommen.

Hier zwei Beispiele: Ihr Partner greift sie an, weil sie 3 Minuten zu spät kamen. Sie entgegnen, dass Sie verstehen würden, dass er Probleme mit dem Alleinsein habe und wüssten, wie unerträglich es für ihn wäre. Im Anschluss daran, erklären Sie, dass es Ihnen einfach nicht möglich und auch zu viel ist, sich wegen 3 Minuten Verspätung bei ihm zu melden.

Sie werden massiv mit den Worten attackiert, dass Sie ein schlechter, gemeiner Mensch seien. Sie entgegen, dass Sie wissen, dass ihr Partner die Welt manchmal in einem sehr schwarzen Licht sehen würde und merken, dass es ihm im Moment nicht gut gehen würde. Dann erklären sie ihm, dass Sie sich selbst nicht als schlecht und gemein sehen würden, sondern als Menschen mit guten, wie auch mit schlechten Seiten, dem es manchmal auch gut und manchmal auch schlecht gehen würde.

Die Wahl der Argumente sollte immer ehrlich sein und nie herablassend kommuniziert werden. Diese Art der Kommunikation erfordert auch ein gewisses Maß an Selbstreflexion des Partners der Borderline-Persönlichkeit, der ja dazu neigt, seine Bedürfnisse hintanzustellen. Sie hat eine therapeutische Wirkung, da er sich immer wieder vor Augen halten muss, wie seine Bedürfnisse aussehen und wo seine Grenzen sind.

## 2. Die Struktur der Partner von Borderline-Erkrankten

**Gemeinsamkeiten Angehöriger von Borderline-Persönlichkeiten**

So wie jeder Schlüssel sein eigenes Schloss hat und jeder Topf sein Deckelchen, so hat jeder Mensch, der an eine Borderline-Persönlichkeit geraten ist, selbst in seiner Persönlichkeit ein Problem oder steckt in einer persönlichen Krise. Bisher hörte ich von keinem einzigen Partner eines Menschen mit der BPS, dass er am Anfang der Beziehung nicht alle möglichen Glöckchen bis hin zu warnenden Sirenen hörte. Warum ließ er sich dann trotz negativem Bauchgefühl auf diese Beziehung ein?

Es gibt uneinsichtige Verfechter, die sagen, es war Liebe bzw. das Verliebtsein, aber spätestens nach der ersten destruktiven Grenzüberschreitung, was wirkliche Werte angeht, hätten sie „Stopp" sagen können, was sie dann aber doch nicht getan haben. Ganz im Gegenteil: sie haben noch viele weitere und vor allem größere Grenzmisshandlungen über sich ergehen lassen. So muss man zwangsläufig zu dem Schluss kommen, dass auch mit den Partnern grundlegend oder vorübergehend etwas nicht stimmt, denn von außen betrachtet legen die Partner unbestritten ein masochistisches Verhalten an den Tag, indem sie in einer destruktiven Partnerschaft mehr oder weniger lang verharren.

Dazu soll nun die Theorie der komplementären Persönlichkeitsstörung erwähnt und anhand zweier Beispiele verdeutlicht werden. Eine Borderline-Persönlichkeit mit ihrer Sucht nach Schutz und Geborgenheit gerät an einen Menschen, der hinter seiner Fassade der extremen Selbstsicherheit ein tiefes Unsicherheitsgefühl verbirgt. Hier werden auf beiden Seiten defizitäre Bedürfnisse gestillt. Die Borderline-Persönlichkeit wird vom Partner „geführt" und fühlt sich beschützt.

Der Partner wird durch die Borderline-Persönlichkeit mit „Anhimmeln" über sein Unsicherheitsgefühl hinweg getäuscht. Ein weiteres Beispiel wäre eine Person, die ihre eigene Identität daran knüpft, für andere da zu sein und scheinbar die Borderline-Persönlichkeit von der Unfähigkeit, Verantwortung zu übernehmen „erlöst".

Aufgrund dieser Tatsache soll das Verhalten der Partner von Borderline-Persönlichkeiten nun aus dem Blickwinkel der Co-Abhängigkeit betrachtet werden. Die Störung der Co-Abhängigkeit ist zwar im Zusammenhang mit Borderline nicht wissenschaftlich untermauert, jedoch finden sich bei Partnern von Borderline-Persönlichkeiten viele Parallelen zu dieser Störung. Der Begriff Co-Abhängigkeit wurde geprägt als man erkannte, dass Angehörige von Alkoholkranken mit ihrem eigenen Verhalten ein großes Maß zur Abhängigkeit beitragen und eine Heilung der Sucht schwierig ist, wenn nicht auch die Angehörigen ihr Verhalten verändern. Aufgrund weiterer Beobachtungen der Angehörigen entdeckte man, dass sie selbst gestörte Verhaltensweisen an den Tag legten, die bei allen Angehörigen ähnlich waren.

Co-Abhängige sehen zwar die Destruktivitäten eines Süchtigen, verbünden sich aber wissentlich oder unwissentlich mit dem Abhängigen und unterstützen damit seine Sucht. Meist tun sie dies oberflächlich betrachtet aus Gründen wie Naivität, Hilflosigkeit oder schlechtem Gewissen. Sie meinen, wenn Sie den Abhängigen nur genug lieben und/oder unterstützen, dann wird er sich ändern und es wird alles gut. Aus falsch verstandener Solidarität besorgen sie ihm gegebenenfalls seinen „Stoff", leihen ihm Geld, regeln sein Leben und tun alles für ihn.

Im Fall Borderline käme man auf genau das gleiche Muster, wenn das Wort Abhängiger durch psychisch Kranker ersetzt wird. Partner von Borderline-Persönlichkeiten sehen, dass etwas mit ihrem Partner nicht stimmt, verbünden sich aber mit ihm und bieten ihm weiterhin einen Nährboden für seine Krankheit. Sie nehmen ihm die Verantwortung ab, regeln sein Leben und tun alles für ihn.

Die Kriterien einer klassischen Co-Abhängigkeit sind:
- Andauerndes Investieren von Selbstwertgefühl in die Fähigkeit, sich selbst und andere zu kontrollieren und dies trotz der Augenscheinlichkeit, dass es ernsthafte nachteilige Konsequenzen mit sich bringt.
- Die Überzeugung, für die Befriedigung der Bedürfnisse anderer verantwortlich zu sein, und zwar in einem Ausmaß, dass die eigenen Bedürfnisse nicht mehr wahrgenommen werden. Bereitschaft zur Selbstaufgabe für den anderen. Übernahme von Verantwortung für den anderen und nicht mehr für sich selbst.

Sich unentbehrlich machen. Auf eigene Kosten andere glücklich machen wollen. Die Überzeugung, der einzige Retter zu sein, danach wäre der Abhängige mir ein Leben lang verpflichtet. Märtyrermentalität, Helfersyndrom.
- Das Gefühl, alles besser machen zu müssen, das Beste ist nie genug. Unerschütterliche Hoffnung gepaart mit der Erwartung, etwas Positives bewirken zu können. Geringste Erfolge werden als großer Fortschritt interpretiert. Perfektionismus, übermäßige Gewissenhaftigkeit.
- Verstrickung in Beziehungen mit Persönlichkeitsgestörten, Abhängigen, anderen Co-Abhängigen und/oder impulsgestörten Individuen.
- Beziehungssucht, Missbrauch einer Beziehung für den ultimativen Kick, z. B. SehnSUCHT nach Liebe, ohne Beziehung fühlt man sich als nichts.
- Mangelndes Abgrenzungsvermögen, der Partner weiß nicht, wo er anfängt und andere aufhören, Gefühle und Verwirrung anderer greifen auf ihn über. Angst- und Abgrenzungsstörungen im Zusammenhang mit Intimität (Nähe) und Trennung (Distanz). Übertriebene Nachgiebigkeit. Unfähig zu erlauben, zu versagen.
- Existenzberechtigung wird ausschließlich von anderen abgeleitet. Unfähigkeit, für sich selbst zu bestimmen. Unsicherheit und Abhängigkeit von anderen im Bezug auf die eigenen Werte. Niedriges Selbstwertgefühl („ich verdiene nichts besseres").
- Misstrauen der eigenen Wahrnehmung gegenüber, schwaches Selbstbild, unfähig, den Blick auf sich selbst zu richten (es ist leichter, über Probleme anderer nachzudenken als über die eigenen)
- Vermehrter Verlust von Kontakt zu eigenen Gefühlen durch die ständige Erwartungserfüllung anderer, Verzerren von Gefühlen, dem Heile-Welt-Selbstbild entsprechen. Unfähigkeit, eigene verletzte Gefühle wahrzunehmen
- Selbstbezogenheit im Zusammenhang mit dem ständigen Gefühl zu vermitteln, als könnte und müsste man alles in Ordnung bringen. Vermehrte Außenorientierung
- Ausgeprägte Leichtgläubigkeit
- Verlust der eigenen inneren Moral, der ureigensten Werte
- Vernachlässigung der eigenen Person
- Hingezogensein zum Drama, zur Leidenschaft und Märchen, Seelenverwandtschaftsglaube

Jeder Angehörige einer Borderline-Persönlichkeit wird sich wohl in obiger Liste wieder finden, wenn auch in verschieden starker Ausprägung. Menschen, die öfter in eine Beziehung zu einer Borderline-Persönlichkeit geraten, sind als besonders problematisch einzustufen. Hier scheint eine ausgeprägte Störung vorhanden zu sein, im Gegensatz zu denen, die nur einmal mit Borderline in Kontakt geraten ist, und danach davon geheilt sind. Oft lassen sich Partner aufgrund einer vorübergehenden persönlichen Krise auf eine Borderline-Persönlichkeit ein. Das kann in Phasen intensiver Selbstfindung entstehen, in der Midlife-Crisis, während oder nach dem Erleben eines traumatischen Ereignisses. Auf jeden Fall ist die Sinnfrage auf irgendeine Weise neu gestellt worden.

Eine gewisse narzisstische Tendenz kann man in der Co-Abhängigkeit zu einer Borderline-Persönlichkeit nicht abstreiten. Dies lässt sich aus der Tatsache schließen, dass sich Menschen mit co-abhängigem Verhalten, zumindest für eine Zeit lang, in der Lage fühlen, eine Borderline-Persönlichkeit in den Griff zu bekommen, sie zu „heilen", sie gleichzeitig therapeutisch und auf der Beziehungsebene zu unterstützen mit der Idee, es würde alles gut werden. Sie halten sich für grenzenlos belastbar und sind davon überzeugt, dass es ihnen auferlegt wäre, diesen einen Menschen zu retten.

Ursachen für co-abhängiges Verhalten
Menschen mit co-abhängigem Verhalten sind meist in ihrer Kindheit, wie Borderline-Persönlichkeiten auch, misshandelt worden. Hierzu zählt verbale wie emotionale Misshandlung, Vernachlässigung oder Konfrontation mit destruktivem Verhalten in der Herkunftsfamilie. Eine nicht bewiesene Theorie ist, dass die Kindheit eines Menschen mit co-abhängigem Verhalten analog der Kindheit einer Borderline-Persönlichkeit in Bezug auf Destruktivität abgelaufen ist.

Auch hier könnte sich in der frühkindlichen Phase, in der sich Selbst- und Objektrepräsentanz auseinander entwickeln sollen und die Gut-Böse-Konstellation überwunden werden muss, durch Überforderung eine Störung entwickelt haben. In der Folge könnte es sein, dass im Gegensatz zur Borderline-Persönlichkeit die co-abhängige Persönlichkeit dennoch Grenzsetzungen in ihrer Kindheit erlebte und somit sich ihre Störung introvertiert entwickelte. Diese zeigt sich dann beim

Erwachsenen in Form von Selbstaufgabe und einer helfenden Opferrolle, während die Borderline-Persönlichkeit die Störung in extrovertierten Verhaltensmustern auslebt.

Das Hauptproblem der mangelnden Selbstachtung der co-abhängigen Persönlichkeit im Fall Borderline ist sehr deutlich daran zu erkennen, welche oft tiefsten Verletzungen und Demütigungen sich Partner von Borderline-Persönlichkeiten bieten lassen und das teilweise über einen langen Zeitraum. Ein Mensch mit einer gesunden Selbstachtung würde sich nie auf solch eine Beziehung einlassen.

Aus der geringen Selbstachtung ergibt sich zwangsläufig die Schwierigkeit, eigene Bedürfnisse zu artikulieren. Den meisten fällt es schwer, die eigenen Bedürfnisse zu erkennen, da sie lernen mussten, diese zugunsten anderer zu ignorieren. Im Laufe der Zeit, in der die Bedürfnisse ständiger Verdrängung unterlagen, ist der Zugang dazu teilweise oder ganz verloren gegangen.

Daraus ergibt sich, dass zwar keine oder kaum eigene Bedürfniserfüllung stattfindet, aber eine gewisse Zufriedenheit daraus entsteht, wenigstens die Bedürfnisse anderer befriedigt zu haben. Aus der Problematik heraus, kein Gefühl für eine reale Daseinsberechtigung zu haben, entsteht die ausgeprägte Schwierigkeit, Grenzen zu setzen. Ein Kind, dessen natürliche Grenzen ständig in der Kindheit verletzt wurden, dem vermittelt wurde, dass er keinen Wert hat bzw. weniger wert ist als andere, hat auch als Erwachsener nicht das Selbstbewusstsein (er ist sich seiner selbst nicht bewusst), seine eigenen Grenzen zu erkennen, geschweige denn diese in der Außenwelt zu setzen.

Im Fall Borderline ist diese Schwierigkeit geradezu fatal, da Borderline-Persönlichkeiten die Welt als große nährende Zitze sehen, in der jeder und alles dazu da ist, ihn zu nähren. So steht der Partner vor der riesigen (letztendlich unerfüllbaren) Forderung, der Borderline-Persönlichkeit alles und noch mal alles zu geben und sich alles gefallen zu lassen. Wenn also ein Mensch nie gelernt hat, Grenzen zu setzen ist es ganz besonders bei Borderline, wo ja in umgekehrter Richtung auch keine Grenzen vorhanden sind, vorprogrammiert, dass hier große

Probleme entstehen. Um beim eingangs erwähnten Beispiel des Topfes und seines passenden Deckels zu bleiben, ergänzen sich die Störungen bei einer Beziehung zwischen Borderline-Persönlichkeiten und Menschen mit co-abhängigem Verhalten bezüglich Grenzen nahezu perfekt.

## Bedeutung einer Beziehung zu einer Borderline-Persönlichkeit

Für Partner einer Borderline-Persönlichkeit ist der Umgang psychisch sehr belastend. Insbesondere das affektiv wechselnde Nähe-Distanz-Verhalten, also das Wechselbad der Gefühle, kann auf Dauer zur eigenen psychischen oder gar somatischen Erkrankung führen. Das hängt einerseits von der Ausprägung der BPS und andererseits von der persönlichen psychischen Konstitution des Partners ab.

Die zuerst entstehende Belastung des Partners beginnt mit der Enttäuschung, wenn die Borderline-Persönlichkeit das Denken über ihre idealisierte Person drastisch umstrukturiert, dann nämlich wird der Partner von einem Moment zum anderen vom Prinzen/von der Prinzessin zum absolut Letzten, das es auf der Welt gibt, degradiert. Auf Dauer führt dieses Verhalten zu einer tief greifenden Verunsicherung des Partners.

Er bezieht den Grund des Verhaltens auf sich selbst, kann aber letztendlich nicht angemessen reagieren, denn die Gründe für das jeweilige Verhalten wechseln manchmal spontan ins komplette Gegenteil. So hat er zunehmend das Gefühl, nie etwas richtig machen zu können und beginnt bald tief an sich selbst zu zweifeln. Vor allem ist die Folge des ständig wechselnden Verhaltens der Borderline-Persönlichkeit eine zunehmende Aushöhlung der Grenzen der Partner.

Das Tragische ist, dass Borderline-Persönlichkeiten ihr „Spiel" gerade mit denen spielen „müssen", die ihnen am nächsten sind, mit denen sie am meisten eine Verbindung suchen, also in den engsten Beziehungen.

Jeder Partner einer Borderline-Persönlichkeit wird bestätigen können, dass er im Grunde nie wirklich das Gefühl hat, von seinem gestörten Partner „gesehen", also im Ganzen „wahrgenommen" zu werden. Auch wenn die Borderline-Persönlichkeit in einer Phase steckt, in der sie gerade die volle Aufmerksamkeit auf den Partner lenkt, wird man feststellen können, dass eine Verhaltensweise des Partners, die gerade nicht in ihr momentanes Gefühlsbild passt, sie augenblicklich verwirren wird. Tatsächlich sehen Borderline-Persönlichkeiten an anderen Menschen nur den kleinen Ausschnitt dessen, was sie in ihrer jeweiligen Situation fühlen. Sie sind vollkommen mit sich und ihrer momentanen Sicht der Welt befasst. Sie können den Menschen als ganzes nicht erfassen. Daraus entstehen Verhaltensweisen, die aus Sicht normaler Menschen als Interesselosigkeit bis hin zu vollkommener Rücksichtslosigkeit interpretiert werden. Die durch dieses Verhalten wiederholte Botschaft der Borderline-Persönlichkeit, dass der Partner bzw. seine Bedürfnisse nicht wirklich wichtig sind, demoliert auf Dauer weiter dessen Selbstwert.

Wenn das Symptom Idealisierung/Abwertung über einen längeren Zeitraum auf die Beziehung einwirkt, beginnt der Partner, in einer Abwertungsphase zunehmend Zugeständnisse machen, um wieder „Ruhe" zu haben. Partner berichten oft von der „erholsamen" oder „friedlichen Pause", in denen sie wieder Kräfte schöpfen können. Im Laufe der Zeit, wenn Abwertungen zunehmen, geht es dem Partner immer mehr nur noch darum, wieder den Zustand der „Pause" zu erlangen.

Er möchte auf der einen Seite wieder Idealisierung erleben, auf der anderen Seite braucht er die Pause in zunehmendem Maße zur Regeneration der eigenen emotionalen Kräfte. Im fortgeschrittenen Stadium entwickelt sich das Verhalten des Partners bei einer Abwertungsphase seitens der Borderline-Persönlichkeit um des lieben Friedens willen langsam aber kontinuierlich hin zur totalen Selbstverleugnung. Hier wird ganz besonders die zersetzende Wirkung von Borderline auf eine Beziehung deutlich.

Durch das Schwarz-Weiß-Denken der Borderline-Persönlichkeit kann sogar das Weltbild des Partners beeinflusst werden. Da bei Borderline die ganze Aufmerksamkeit auf die gestörte Person gerichtet ist, werden auch eigene Ideale und Wertvorstellungen untergraben, die eine Bedrohung für die Aufmerksamkeit darstellen könnten.

Denn durch die eigentümliche Maßlosigkeit der Borderline-Persönlichkeit verändert sich bei den Angehörigen mit der Zeit zunehmend selbst der Blick für das rechte Maß. Der Partner, der über einen längeren Zeitraum das „Leben auf der Grenze" der Borderline-Persönlichkeit teilt, auch die schönen, die High-Phasen mit durchlebt, wird selbst in einem gewissen Maß Borderline-Strukturen annehmen. Werte wie Verantwortung oder Zuverlässigkeit verlieren an Wichtigkeit. Das vermittelte Gefühl „Genieß dein Leben in vollen Zügen" und

„Nach mir die Sintflut" hat etwas sehr Reizvolles, wenn es noch dazu im Extrem gelebt wird. Hier können sich je nach Persönlichkeitsstruktur des Partners Alkohol- oder Drogenprobleme einschleichen, Probleme am Arbeitsplatz durch Nachlässigkeit entstehen und Konflikte mit anderen Menschen durch veränderte Verhaltensmuster, wie z. B. Rücksichtslosigkeit auftreten.

## Tendenzieller Beziehungsablauf

Die durchschnittliche Dauer einer Beziehung mit einer Borderline-Persönlichkeit liegt bei 22 Monaten, wobei die wenigen langjährigen Beziehungen die Statistik hochschrauben und man eher davon ausgehen kann, dass die Dauer meistens zwischen 12 und 16 Monaten liegt.

Eine Beziehung mit einer Borderline-Persönlichkeit beginnt wie jede andere Beziehung auch, nur mit dem Unterschied, dass alles fantastischer, wundervoller, eindeutiger, tiefer, schillernder und um ein großes Maß viel versprechender ist. Dies gilt nicht nur für den Anfang, sondern auch für jede weitere Phase der Beziehung, in denen die typische Idealisierung gelebt wird.

In den meisten Fällen gehen die Partner übereilt eine Beziehung ein, ziehen zusammen oder heiraten. Eine angemessene Zeit des Kennenlernens und sich Annäherns wird im Vergleich zu einer normalen Beziehung meist weitgehend verkürzt. Durch die Idealisierung der Borderline-Persönlichkeit hat der gesunde Partner schnell das Gefühl „die Richtige"/„den Richtigen" getroffen zu haben. Wünsche und Sehnsüchte werden von den Augen abgelesen, der Partner wird vergöttert.

Es entsteht eine symbioseähnliche Beziehung, da sich die Borderline-Persönlichkeit scheinbar für den Partner aufgibt und dies auch von seinem Partner erwartet. Anfangs werden alle Bedürfnisse des Partners erfüllt, seien es Nähe, Verständnis, Zuneigung, Vertrauen, perfekter Sex und kompromisslose Liebe. Dadurch, dass Borderline-Persönlichkeiten schwer Zugang zu ihrer eigenen Identität finden, ist es für sie möglich, in die Identität des Partners zu schlüpfen und so seine Wünsche, Werte, Vorlieben zu leben.

Viele Partner berichten von der „größten Liebe ihres Lebens2, auch noch nach der Trennung, „vom 7. Himmel des 7. Himmels auf Erden", von intellektueller und/oder emotionaler Symbiose. Männer berichten sehr häufig von der erfüllendsten Sexualität mit der Partnerin, die sie je erleben durften. Frauen häufiger von einer tiefen Nähe, von unglaublichem „Verstandenwerden". Die

Beziehungen werden teilweise als so intensiv empfunden, wie es in einer normalen Beziehung nie erlebbar sein kann.

Da der Partner in der Regel die scheinbar völlige Selbstaufgabe der Borderline-Persönlichkeit nicht erwidert bzw. dies gar nicht kann (kein Mensch wird je dazu in der Lage sein), beginnen die ersten Probleme. Häufig zeigt sich früh in der Beziehung das Borderline-Symptom, der Angst, verlassen zu werden. Da kann das simple Lesen eines Buches von der Borderline-Persönlichkeit bereits als erniedrigende Ignoranz des Partners gedeutet werden und sofort in eine wilde Diskussion ausarten. Eine kleine Verspätung von wenigen Minuten kann dramatische Reaktionen hervorrufen, ein Treffen mit Freunden zu Ausbrüchen, gleich einem Trennungsdrama, ausarten. Kleine Anlässe führen zu einem nicht angemessenen, weit übertriebenen Verhalten. Diese „Ausfälle" werden zu diesem Zeitpunkt jedoch noch nicht als krankhaft eingeordnet, sondern sie lösen höchstens Verwunderung aus und stimmen den Partner ein wenig nachdenklich. Etwa wird das Verhalten als „empfindlich" oder als Folge von Traumatisierungen früherer Beziehungen gedeutet, über die Borderline-Persönlichkeiten häufig ausgesprochen negativ berichten.

In der nächsten Phase beginnt die Borderline-Persönlichkeit systematisch den Partner von dessen Umwelt abzuriegeln und zu kontrollieren, weil ein eigenständiges Leben des Partners von ihr als bedrohlich empfunden wird. Diese Taktik kann bis zur völligen Überwachung ausarten, wie heimliches oder offenes Lesen persönlicher Briefe, Überprüfung des Handys auf angerufene Nummern oder Verbote, Kontakte in die Außenwelt zu pflegen. Manchmal werden auch Intrigen gesponnen, um den Partner von der Umwelt abzuschneiden.

Die Häufigkeit der „Ausfälle" nimmt zu, die Phasen der Idealisierung werden weniger. Zunehmend ereignen sich Dramen, denen meist nichtigste Anlässe zu Grunde liegen. Dies reicht von Beschimpfungen, Beleidigungen und Bedrohungen, über körperliche Gewalt gegenüber dem Partner sowie Suizidandrohungen, bis hin zur (im wahrsten Sinne des Wortes) Selbstzerfleischung des Betroffenen durch Selbstverletzung. Insgesamt kann man über diese Phasen sagen, dass dahinter übergroße Emotionen stehen, die sich entweder gegen den Partner richten, oder gegen sich selbst und die nicht kontrolliert werden können. Vom Partner werden oft die unmöglichsten Dinge erwartet, wie z. B. der Kontaktabbruch zur eigenen Familie. Überdurchschnittlich häufig lässt sich die Borderline-Persönlichkeit aufgrund mangelnder Eigenverantwortung, von ihrem Partner teilweise oder ganz finanziell unterstützen. Durch die häufige Kritik haben Partner von Borderline-Persönlichkeiten zunehmend das Gefühl, nichts mehr richtig und immer zu wenig zu machen.

Die früher erlebten und nun immer weniger stattfindenden Idealisierungsphasen bringen den Partner dazu, zu glauben, dass er noch mehr tun müsste, um die Beziehung zu erhalten. Der Partner strengt sich noch mehr an, denn er denkt, er müsste nur genug lieben und/oder unterstützen, dann wird die Person so werden wie früher (wie in der Zeit als idealisiert wurde). Da aber die Erwartungen der Borderline-Persönlichkeit ins Unermessliche gehen, kommt der Partner in einer Abwärtsspirale langfristig an seine eigenen Grenzen des Gebens und vor allem der vermehrten Vernachlässigung seiner selbst.

Bald beginnt der Partner, Strategien zu überlegen, was er gegen das einengende, bzw. verletzende Verhalten tun kann. Da wären Aussprachen, die jedoch mit irrationalen Argumenten abgeschmettert werden oder daraus entstehende Versprechungen werden nicht eingehalten. Trennungsdrohungen haben manchmal die Folge einer kurzfristigen Besserung, je nachdem, wie überzeugend sie ausgesprochen wurden. Häufig geschieht aber auch ein plötzliches „Abtauchen", während dessen völlige Funkstille herrscht. In vielen Fällen geht die Borderline-Persönlichkeit in dieser Phase fremd. Später sieht sie es nicht als betrügen an, weil sie mit der kurzfristigen Trennung argumentiert. Promiskuität kommt im Zusammenhang mit der Borderline-Störung überhaupt häufig vor.

In dieser Phase beginnt der Partner, Antworten für das Verhalten zu suchen, denn er stellt zunehmend fest, dass mit seinem Partner „etwas nicht stimmt" und stößt auf die BPS. Auch dies ist ein weiterer Versuch, eine Lösung für die Rettung der Beziehung und des Partners zu finden. Es wird Literatur verschlungen, das Internet durchforstet und häufig werden im Anschluss Therapeuten konsultiert. Sei es vom Partner oder, falls die Borderline-Persönlichkeit schon offen genug ist, auch von ihr oder beiden.

Die Phasen von einem Drama zum nächsten werden immer kürzer und die Dramen immer ausfallender. Der Partner wird verstärkt, wie oben beschrieben, in die Abwärtsspirale des Gebens/Ertragens gedrängt, bis bei ihm selbst der Leidensdruck so groß ist, dass die Beziehung unerträglich geworden ist. An diesem Punkt sind die absoluten Grenzen des Ertragbaren erreicht und der Partner merkt nun sehr genau, dass es nicht mehr weitergehen kann. Diese Grenze ist individuell verschieden und reicht vom völligen Abgeschnittensein von der Umwelt über einen ernstzunehmenden Burnout bis zum emotionalen und/oder körperlichen Zusammenbruch des Partners.

Spätestens hier, bzw. immer hier, erkennt der Partner, dass er am Ende ist und dass er sich, um selbst zu überleben, aus dieser Beziehung befreien muss. Ihm sei an dieser Stelle die Erkenntnis vorweggenommen, dass eine gesunde Beziehung auf keinen Fall möglich sein kann, außer dass seitens der Borderline-Persönlichkeit ein klar ausgedrückter und über einen längeren Zeitraum durchgehaltener Therapiewille gezeigt wird, der aus eigenem Antrieb entstanden ist und nicht aufgrund des Drucks vom Partner. Die Erfahrung (bzw. das Krankheitsbild trägt es in sich) zeigt, dass in dieser Phase, also wenn die Beziehung zu brechen droht, es kaum eine Borderline-Persönlichkeit schafft, aus eigenem Antrieb für sich selbst zu entscheiden, den Weg der Heilung einzuschlagen. Sie würde es für den Erhalt der Beziehung tun, und dieses Motiv birgt in sich schon einen Misserfolg. Seelische Heilung ist nur möglich, wenn das Motiv etwas dafür zu tun, aus dem Innersten kommt, auch wenn es meistens die Umstände, also ein großer Leidensdruck ist, der Menschen auf den Weg der Heilung bringt. Für Menschen mit der BPS muss in besonderem Maße der Wunsch aus ihrer Seele selbst kommen, in einer Trennungsphase sehen sie nur „ihre Felle davonschwimmen" und wollen retten, was noch zu retten ist und das möglicherweise mit dem Beginn einer Therapie, aber in Wirklichkeit steht nicht der Wunsch dahinter, heil zu werden.

## 3. Die Trennung

**Dramatik gehört immer dazu**

Die Trennung von einer Borderline-Persönlichkeit wird immer dramatisch sein und sich in ihrer Emotionalität deutlich von einer „normalen" Trennung abheben. Viele Borderline-Persönlichkeiten beginnen nach der Trennung einen regelrechten Rosenkrieg, mit Terroraktionen, die ihres gleichen suchen, manche lösen sich auch vollkommen in Luft auf, sobald sie erkannt haben, dass die Trennung nicht zu verhindern ist. Viele versuchen nach einer Weile, den Partner mit erneuter Idealisierung zurück zu gewinnen.

Der Partner einer Borderline-Persönlichkeit wird erst dann den Schritt der endgültigen Trennung vollziehen, wenn er selbst am Ende seiner Kraft angelangt ist, weil bereits ein Abhängigkeitsgefühl entstanden ist. So wird der Partner nur dann gehen können, wenn er merkt, dass seine Substanz, seine Lebensenergien angegriffen werden, seine definitiven Grenzen weit überschritten sind und er Gefahr läuft, selbst unterzugehen, wenn er die Beziehung fortführt.

Manche Partner sind bereits mehrmals mit halbherzigen Trennungsversuchen der Borderline-Persönlichkeiten konfrontiert worden, die aber im Prinzip nur dazu dienten, den Partner zu bestrafen, zu manipulieren oder aus der Angst vor allzu großer Nähe entstanden sind. Hat sich der Partner endgültig entschieden, den Schritt der Trennung zu gehen und wird der Borderline-Persönlichkeit die Endgültigkeit klar, wird sie sich extrem angegriffen und erniedrigt fühlen. Die Auswirkungen können sich unterschiedlich darstellen. Sie reichen von Psychoterror, Verleumdung, Erpressung, Gewalt bis hin zu Suizidandrohungen und -versuchen.

Die Borderline-Persönlichkeit wird kaum die Trennung akzeptieren wie ein „erwachsener Mensch". Denn hier wird massiv ein Symptom der Störung, nämlich die Angst vor dem Verlassenwerden, ausgelöst. Die Borderline-Persönlichkeit, die sich sowieso in kindlichen Gefühlsmustern aufhält, fühlt sich dann erst recht wie ein kleines Kind, das von der Mutter endgültig verlassen wird. Dieses Verlassen würde für ein kleines Kind den Tod bedeuten. Wenn man sich in dieses Gefühl einmal hineinversetzt, wird man sehr viel von dem Verhalten verstehen können, dass eine Borderline-Persönlichkeit im Falle einer Trennungsankündigung ausagiert. Das soll nicht als Entschuldigung für das Verhalten gewertet werden, sondern zum Verständnis dienen und den Partner dafür öffnen, sein eigenes Verhalten so anzupassen, dass für ihn die negativen Auswirkungen einer Trennung so gering wie möglich gehalten werden. Mit dem Hintergrund, dass nicht ein erwachsener Mensch Psychoterror veranstaltet, sondern in Wirklichkeit ein Mensch mit der Gefühlswelt eines dreijährigen Kindes, wird man wesentlich gelassener sein können und sich Provokationen weitgehend entziehen.

Ein großes Problem, die Trennung zu vollziehen, ist die geschwächte psychische Konstitution des Angehörigen. Durch anhaltende Abwertungen in der Vergangenheit seitens der Borderline-Persönlichkeit ist er in seinem Selbstwert tief beeinträchtigt und kann nur mit großer Mühe oder gar nicht mehr zwischen Recht und Unrecht unterscheiden. Wie bereits erwähnt, trennen sich viele Partner, weil sie völlig am Ende sind und merken, dass sie sich selbst vor dem Untergang schützen müssen.

Durch die Gefühlsduschen von Idealisierung sowie Abwertung und Verletzungen wurde der Partner in einen Dauerzustand der Erregung versetzt, den er selbst nicht mehr als solche wahrnimmt. So ist er weiter offen für Verletzungen, weil er sich selbst nicht mehr spürt. Als Beispiel sei hier angeführt, dass man plötzlich einem wilden Tiger gegenübersteht, einen regelrechten Adrenalinschauer bekommt und dabei nicht mehr wahrnimmt, wenn man sich einen Nagel in den Fuß tritt.

Das entspricht ungefähr dem Erregungszustand eines Partners, der sich von einer Borderline-Persönlichkeit trennt. Besonders deutlich wird diese Tatsache, da bekannt ist, dass Partnerinnen/Partner von Borderline-Persönlichkeiten sich selbst dann noch schuldig fühlen, auch wenn sie bereits massivste Verletzungen und Demütigungen über sich ergehen haben lassen müssen.

Über diese Mechanismen sollte sich jede Partnerin/jeder Partner einer Borderline-Persönlichkeit im wirklich, zumindest theoretisch, im Klaren sein, wenn sie/er eine Trennung vollzieht. Und auch, wenn ein anderes Gefühl vorherrschen sollte, was in dieser Situation meistens zutrifft, so kann das Bewusstsein über diese Mechanismen doch in der einen oder anderen Situation sehr nützlich sein.

Also bewahren Sie, soweit Ihnen das möglich ist, einen kühlen Kopf. Planen Sie ihre Trennung genau, übereilen Sie nichts. Scheuen Sie sich nicht, Hilfen anzunehmen. Denken Sie daran, dass Sie sich nicht schämen müssen. Sie lebten in einer hoch destruktiven Beziehung mit einer schwer gestörten Person, die Sie sehr beeinträchtigt hat.

Versuchen Sie, so gut wie möglich nicht mehr in die gesamte Borderline-Dramatik einzusteigen.

**Trennungshilfen**

Bedenken Sie, dass Sie mit dem glaubwürdigen Äußern einer Trennungsabsicht gegenüber Ihrer Borderline-Partnerin/Ihrem Borderline-Partner die Krönung des destruktiven Borderline-Verhaltens auslösen können. Die Angst vor dem Verlassenwerden ist die größte Angst bei Menschen mit der BPS. Deshalb seien Sie auf jedes Verhalten gefasst und beachten Sie jegliche Vorsichtsmaßnahmen. Wenn Sie sich dazu entschlossen haben, die Beziehung zu Ihrer Borderline-Persönlichkeit zu beenden, bieten sich folgende Vorgehensweisen an:

- Wie beschrieben, befinden Sie sich in einem psychisch sehr angeschlagenen Zustand. Wenn Sie das Gefühl haben, dass Ihre Kraftreserven vollkommen aufgebraucht sind, empfiehlt es sich, erst einmal einen räumlichen Abstand zu schaffen, mindestens jedoch eine innere Distanz zu wahren, soweit das möglich ist, bis die Reserven wieder ein wenig aufgebaut sind

- Denken Sie daran, dass eventuelle Schuldgefühle, einen kranken Menschen zu verlassen, aus dem Muster der Co-Abhängigkeit entstehen und Sie diesem Menschen mit Bleiben nicht helfen werden

- Neigt die Borderline-Persönlichkeit zu selbstschädigendem oder suizidalem Verhalten, informieren Sie medizinisches Personal oder öffentliche Behörden

- Holen Sie sich Unterstützung bei Freunden, Familie, Therapeuten, notfalls bei Gericht//Polizei. Diese Institutionen sind dafür da, Sie vor Gewalt zu schützen

- Listen Sie gegebenenfalls alle Vorkommnisse für sich auf, manchmal ist dies in einem späteren Rechtsstreit außerordentlich hilfreich. Noch wichtiger ist, dass Sie ihre Trennung damit besser verarbeiten werden, weil Sie sich immer wieder einen „Überblick" über die Vorkommnisse holen können.

- Organisieren Sie alles Räumliche im Vorfeld: Wohnung, Umzugswagen, Helfer. Falls Sie mit Gewalt rechnen, benachrichtigen Sie die Polizei.

- Entfernen Sie alle Gegenstände mit denen man Sie später erpressen könnte, wie wichtige Unterlagen oder Wertgegenstände. Aus den gleichen Gründen informieren Sie eventuell Ihren Arbeitgeber im Vorfeld.

- Teilen Sie die Trennung erst zum Zeitpunkt des Auszugs mit und halten Sie Ihre neue Adresse und alle Nummern geheim.

## 4. Nach der Trennung

**Traumatisierung**

Viele Partner von Borderline-Persönlichkeiten weisen nach der Trennung ernsthafte Trauma-Symptome auf, wie sie beispielsweise auch bei Menschen auftreten, die in Katastrophen involviert waren oder extreme Gewalt erlebten. Es gibt drei Trauma-Kriterien: die akute Belastungsstörung, die posttraumatische Belastungsstörung und die Anpassungsstörung, die durch ihren Namen etwas verwirrend klingen mag, aber auch in diese Kategorie gehört und bei Trennungen entstehen kann.

Durch Ihre mehr oder weniger langen Beziehungen zu Ihrer Borderline-Partnerin/Ihrem Borderline-Partner waren Sie durch gravierende Wechselduschen der Gefühle und Wertungen und teilweise besonderer Destruktivität extrem außergewöhnlichen Belastungen ausgesetzt. Das bleibt bei den meisten Partnern nicht ohne Folgen. Viele fühlen sich irgendwie „betäubt", werden teilnahmslos ihrer Umwelt gegenüber und durchleben wiederkehrend destruktive Erlebnisse aus der vergangenen Beziehung. Sie können die Erlebnisse nicht mehr loslassen. Sehr häufig treten auch Depressionen auf, die bis zum Suizidgedanken reichen. Das Leben wird nur noch grau in grau erlebt.

Im Folgenden die Kriterien einer Traumatisierung des DSM IV:

- F43. Akute Belastungsreaktion: außergewöhnliche psychische oder physische Belastung. Die Symptomatik zeigt typischerweise ein gemischtes und wechselndes Bild, beginnend mit einer Art von "Betäubung", mit einer gewissen Bewusstseinseinengung und eingeschränkten Aufmerksamkeit, einer Unfähigkeit, Reize zu verarbeiten und Desorientiertheit. Diesem Zustand kann ein weiteres Sichzurückziehen aus der Umweltsituation oder aber ein Unruhezustand und Überaktivität folgen. Vegetative Zeichen panischer Angst wie Schwitzen und Erröten treten zumeist auf.

- F43.1 Posttraumatische Belastungsstörung: kurz oder lang andauerndes Ereignis oder Geschehen von außergewöhnlicher Bedrohung oder mit katastrophalem Ausmaß. Typische Merkmale sind das wiederholte Erleben des Traumas in sich aufdrängenden Erinnerungen (Nachhallerinnerungen, Flashbacks), Träumen oder Alpträumen, die vor dem Hintergrund eines andauernden Gefühls von Betäubtsein und emotionaler Stumpfheit auftreten. Ferner finden sich Gleichgültigkeit gegenüber anderen Menschen, Teilnahmslosigkeit der Umgebung gegenüber, Freudlosigkeit sowie Vermeidung von Aktivitäten und Situationen, die Erinnerungen an das Trauma wach rufen könnten. Meist tritt ein Zustand von vegetativer Übererregtheit, einer übermäßigen Schreckhaftigkeit und Schlafstörung auf. Angst und Depression sind häufig mit den genannten Symptomen und Merkmalen assoziiert und Suizidgedanken nicht selten. Beginn innerhalb von 6 Monaten

- F43.2 Anpassungsstörungen, Psychosoziale Belastung von einem nicht außergewöhnlichen oder katastrophalen Ausmaß. Hierbei handelt es sich um Zustände von subjektiver Bedrängnis und emotionaler Beeinträchtigung, die im Allgemeinen soziale Funktionen und Leistungen behindern und während des Anpassungsprozesses nach einer entscheidenden Lebensveränderung oder nach belastenden Lebensereignissen auftreten. Die Belastung kann das soziale Netz des Betroffenen beschädigt haben (wie bei einem Trauerfall oder Trennungserlebnissen). Die Anzeichen sind unterschiedlich und umfassen depressive Stimmung, Angst oder Sorge (oder eine Mischung von diesen). Außerdem kann ein Gefühl bestehen, mit den alltäglichen Gegebenheiten nicht zurechtzukommen, diese nicht vorausplanen oder fortsetzen zu können. Störungen des Sozialverhaltens können insbesondere bei Jugendlichen ein zusätzliches Symptom sein. Hervorstechendes Merkmal kann eine kurze oder längere depressive Reaktion oder eine Störung anderer Gefühle und des Sozialverhaltens sein. Beginn innerhalb eines Monats, Ende 1 Monat bis 2 Jahre

Neurologisch betrachtet entsteht eine Traumatisierung, wenn der Organismus eine Situation als für die Person extrem bedrohlich oder überwältigend wahrnimmt. Dann wird unmittelbar eine angeborene Alarmreaktion in Gang gesetzt. Das Ereignis selbst wird fragmentiert (in Teile aufgespalten) und an verschiedenen

Stellen im Gehirn abgespeichert. Die Informationsverarbeitung wird blockiert. Der Körper schüttet die zehnfache Menge an körpereigenen Opiaten aus, um den Organismus zu schützen und das Überleben zu sichern. Zwischen der Amygdala, der Gehirnregion, die für emotionale Bewertung und dem Hippocampus, der Region, die für kategoriale Einordnung und Verzeitlichung zuständig ist, wird die Informationsweiterleitung blockiert. Von Stirnhirn zu Amygdala können keine beruhigenden Muster mehr gelangen. Eine Beruhigung findet nicht mehr, oder nur sehr mühsam statt. Die traumatische Erfahrung hängt nun praktisch in der Amygdala fest. Jeder ähnliche Reiz kann sie wieder auslösen und zwar in der gleichen gefühlsmäßigen Stärke wie beim Ursprungsereignis, und da es noch nicht zu einer zeitlichen Einordnung gekommen ist, wird sie als aktuell erlebt. Es ist also Aufgabe der Traumaverarbeitung, die unterbrochene Informationsverarbeitung wieder ins Laufen zu bringen.

Dann erst kann die Information verzeitlicht und schließlich tatsächlich zur Erinnerung werden. Das bedeutet: Man weiß, es ist gewesen; man weiß, es war schlimm; aber jetzt gehört es der Vergangenheit an; man „erlebt" es nicht mehr. Bei einer Beziehung mit einer Borderline-Persönlichkeit entstehen häufig mehrere „kleine" Traumata. Sie sind einfach an dem Gefühl zu erkennen, das die jeweiligen Situationen sofort glasklar vor dem inneren Auge stehen, auch wenn sie schon Wochen, Monate oder gar Jahre zurück liegen.

Falls Sie bei sich oben genannte Symptome wieder finden, sollten Sie auf jeden Fall professionelle Hilfe in Anspruch nehmen. Eine posttraumatische Belastungsstörung kann in den meisten Fällen nicht von selbst geheilt werden und einen unter Umständen ein Leben lang begleiten. Je früher Sie Hilfe in Anspruch nehmen oder an Ihrem Trauma/Ihren Traumata arbeiten, desto einfacher ist die Aufarbeitung.

## Werteverlust

Ein psychisch gesunder Mensch hat Grundannahmen, ähnlich dem Urvertrauen. Diese sind, dass das Selbst wertvoll, das Leben sinnvoll und die Welt wohlwollend ist. Weiterhin bestehen die Annahmen der eigenen Unverwundbarkeit, der eigenen Sicherheit und der Kontrollierbarkeit und Vorhersagbarkeit unserer Umwelt (nach Janoff-Bulman). Diese Grundannahmen sind aufgrund der zerstörerischen Borderline-Symptomatik, die Partner am eigenen Leib erfahren haben, systematisch und fortgesetzt ausgehebelt worden.

Durch dauerhaft zersetzende Kritik und Schuldzuweisungen der Borderline-Persönlichkeit schwindet kontinuierlich die Einsicht beim Partner, dass sein eigenes Selbst wertvoll und die Welt wohlwollend ist. Ein auf Dauer angelegtes Herabsetzen der eigenen Person durch eine nahe stehende Person hinterlässt auch bei der stärksten Persönlichkeit seine Spuren: „Vielleicht stimmt wirklich etwas mit mir nicht?".

Viele Partner trennen sich erst dann, wenn sie mit ihren Kräften am Ende und die Grenzen des Erträglichen erreicht sind und wenn sie nicht mehr können, obwohl sie eigentlich ihre Partnerin/ihren Partner nicht wirklich verlassen wollen. Die Trennung geschah also aus reinem Selbstschutz, aus einer Ohnmacht, die destruktiven Gegebenheiten der Borderline-Beziehung weiter zu ertragen. Aufgrund dieser Tatsache entsteht ein weitgreifendes Gefühl der Sinnlosigkeit des Lebens: „Es hätte doch alles so schön sein können, warum musste ich mir meine Liebe mit Gewalt herausreißen?".

Im Rückblick auf eine Borderline-Beziehung stellen die Partner plötzlich fest, dass Sie sehr wohl verwundet wurden und zwar tief in der Seele. Noch schlimmer ist die Einsicht, dass sie sich selbst freiwillig in diese Situation gebracht hatten. Somit ist auch die Annahme der eigenen Unverwundbarkeit und Sicherheit weitgehend aufgehoben. Auch die Annahme, dass die Umwelt kontrollierbar und vorhersagbar ist, kann nicht mehr aufrecht erhalten werden, denn die Partner sind selbst manipuliert und kontrolliert worden und hatten die eigene Macht der Kontrolle an ihren Borderline-Partner abgegeben.

Man muss also davon ausgehen, dass nach einer Beziehung zu einem Menschen mit der BPS erst einmal alle Grundannahmen, die einen psychisch gesunden Menschen ausmachen, als Scherbenhaufen vor einem liegen. Deshalb ist es wichtig, zu wissen, was diese Krankheit bei anderen Menschen, die sich in einer Beziehung mit einer Borderline-Partnerin/einem Borderline-Partner befanden, anrichten konnte, um dann wieder zu gesunden Einstellungen und somit zu einem normalen Leben zurückkehren zu können.

## Die zentrale Frage nach dem Warum?

Die im Mittelpunkt stehende Frage, die sich Partner von Borderline-Persönlichkeiten immer und immer wieder stellen werden, ist die nach dem Warum. Es entsteht ein tiefes Bedürfnis, zu verstehen, was mit ihren Partnern los war und weshalb sie selbst sich auf diese Beziehung eingelassen haben. Sie suchen eine Antwort auf die Fragen, warum die Borderline-Partnerin/der Borderline-Partner auf der einen Seite überströmende Liebe schenkte und auf der anderen schwer verletzend gehandelt hat und aus welchen Gründen die Beziehung nicht funktionieren konnte.

Warum hat sie/er mir das angetan? Warum habe ich das alles mit mir machen lassen? Warum können wir nicht wieder zusammen sein? Warum ist sie/er so gefangen in ihren/seinen Gefühlen? Warum versucht sie/er nicht, sich behandeln zu lassen? Warum kann ich nicht aufhören, an sie/ihn zu denken? Warum hänge ich noch an ihr/ihm? Warum lässt sie/er mich nicht mehr an sich ran? Warum konnte ich nicht helfen, konnte ich nicht stärker sein? Warum geht es mir so lange schlecht? Warum kann ich nicht aufhören, mich mit Borderline zu beschäftigen?

Im Laufe Ihrer Trennungsverarbeitung werden Sie sich selbst immer wieder mit diesen Fragen konfrontieren, weil Sie verstehen wollen, was mit Ihnen passiert ist und was mit Ihrer Partnerin/Ihrem Partner los war. Dieser Umstand ist auch der entscheidende Unterschied zu einer normalen Trennung, bei der nach relativ kurzer Zeit klar wird, warum die Beziehung auseinander gegangen ist. Einer der Partner hatte eine neue Beziehung, die Ehe hat sich totgelaufen und ähnliche Gründe. Bei der Borderline-Beziehung gibt es keine wirkliche Erklärung für das Scheitern, jedenfalls keine, die das Gefühlsleben und den Intellekt gleichermaßen befriedigt, was für eine Trennungsverarbeitung wichtig ist. Aus diesem Grund werden viele Partner Literatur über Borderline förmlich verschlingen und/oder ständige Besucher einschlägiger Internetforen sein, um zu verstehen.

Die Beschäftigung mit dem Thema ist auch wichtig, um Einblick in die Gefühlswelt einer Borderline-Persönlichkeit bekommen und deren Verhalten besser nachvollziehen zu können. Psychologisches Wissen ist Macht, Macht aber kann sowohl destruktiv, als auch heilend eingesetzt werden. Anfangs neigt man dazu, sich das psychologische Wissen anzueignen, um sich ein Alibi dafür zu verschaffen, dass man nicht Schuld an den Schwierigkeiten ist, sondern alles bei der Borderline-Persönlichkeit liegt, anstatt sich einzugestehen, dass einem alles zu viel geworden war und man es nicht schaffen konnte. Hier führt psychologisches Wissen weg davon, eigene, persönliche Lösungswege zu finden. Statt sich seine Situation genau anzuschauen und zu erkennen, was passiert, wird ein Lösungsschema übernommen, welches scheinbar Erleichterung und Verstehen schafft, aber in Wirklichkeit von sich selbst ablenkt. Letztendlich treibt man sich mit dieser Strategie selbst in die Opferrolle, aus deren Ecke man keine wirkliche Einsicht bekommen kann. Heilsam ist psychologisches Wissen dann, wenn man zu einem tieferen Verständnis im positiven Sinne gelangt. Wenn das Ergebnis des Studiums zu gegenseitigem Verstehen führt und man sich und den Partner besser annehmen kann, die eigene Würde und die des Partners erhalten bleibt.

Letztendlich wird jedoch ein Mensch, der selbst nicht an der Borderline-Persönlichkeitsstörung leidet, nie wirklich eine befriedigende Antwort auf das destruktive Verhalten bekommen, denn die Welt in der Borderline-Persönlichkeiten leben, ist eine komplett andere:

- Sie können ihre Gefühle nicht kontrollieren und werden von ihnen durch teilweise nichtige Anlässe überrannt. Sogar, wenn sie in der Lage sind, zu erkennen, dass ein bestimmtes Verhalten vollkommen falsch ist, haben sie keine Kontrolle darüber. Das erklärt auch das selbstzerstörerische Verhalten.

- Sie sind im Inneren zutiefst verunsichert, was ihren Selbstwert angeht. Daher haben sie panische Angst, nicht gut genug zu sein und müssen sich ihren Wert immer wieder von „außen" abholen. Das tun sie auch, wenn sie ablehnen. Sie glauben nicht daran, Liebe und Anerkennung zu verdienen.

- Sie fühlen permanent eine innere Leere, die manche Menschen nicht ansatzweise in ihrem Leben spüren. Sie müssen die Leere füllen, mit was auch immer.

- Die Nähe, nach der sich gerade Menschen mit der BPS besonders sehen, wird nach einer Weile zu einer großen Bedrohung mit der Gefahr, sich darin vollkommen zu verlieren. Deshalb sind sie verdammt dazu, eine für sie bedrohliche Nähe zu zerstören.

Alle Verletzungen, Demütigungen, Herabsetzungen, die Sie erleiden mussten, entsprangen oben genannter Symptomatik. In vielen Fällen lief das bei Ihrer Partnerin/Ihrem Partner unbewusst ab. Sie/er konnte nicht anders handeln – sie/er ist krank!!

Auf der anderen Seite stehen Sie selbst und stellen sich immer wieder die Frage, warum Sie sich das alles als gesunder Mensch haben bieten lassen. Warum haben Sie Entwürdigungen, emotionalen und/oder körperlichen Missbrauch sowie Erniedrigungen immer wieder zugelassen? Wie konnte es passieren, dass Sie Dinge in Kauf genommen haben, für die Sie, wenn Ihnen eine andere Person das früher erzählt hätte, nur ein entsetztes Kopfschütteln übrig gehabt hätten? Die Antwort ist:

Weil Sie liebten, hochgradig manipuliert wurden und andererseits in eine Co-Abhängigkeit gerutscht sind.

**Die erste Erleichterung**

Wenn die Trennung von der Borderline-Partnerin/dem Borderline-Partner vollzogen ist, der Schlussstrich kommuniziert und umgesetzt wurde und Sie weiterhin nicht mehr unmittelbar destruktiven Situationen direkt ausgesetzt sind, dann wird sich die erste Erleichterung einstellen. Alle Borderline-Partnerinnen und -Partner lebten seit Beginn ihrer Beziehungen unter emotionalem Hochdruck und viele haben durch das manchmal nicht einmalige Trennungsgeschehen den Höhepunkt des Borderline-Gefühls-Chaos durch- und erlebt. Bildhaft gesprochen könnte man es so umschreiben, dass Partnerinnen/Partner von Menschen mit der BPS während der Beziehung auf einer Hochspannungsleitung balancierten, sich nur an einer über Ihren Köpfen befindlichen anderen Stromleitung festhalten konnten und somit ständig Starkstrom durch sie hindurchfloss.

Das hat nun ein Ende, der Stromfluss ist unterbrochen. Es herrscht Ruhe, auch wenn der Schmerz sich bereits meldet. Das Chaos, Psychoterror, manchmal Gewalttätigkeiten, emotionale wie physische, haben ein Ende. Manche haben eine Odyssee mit Ämtern, Polizei und Gerichten hinter sich und nun ist die schlimmste Zeit vorüber. Der destruktive Partner ist räumlich verbannt. Frieden ist wieder eingekehrt. Viele Partner von Borderline-Persönlichkeiten berichten kurz nach der Trennung, dass sie das Gefühl hätten, ein furchtbarer, langer Krieg wäre endlich vorbei und sie könnten wieder aufatmen. Eine tonnenschwere Last fällt ab, Gefühle der Erleichterung stellen sich ein. Damit auch die berechtigte Freude darüber und der Stolz darauf, es endlich geschafft zu haben, sich aus der selbst zerstörerischen Situation befreit zu haben.

Das Gefühl von Freude und Stolz über Ihre Entscheidung, sollten Sie sich im Laufe der weiteren Trennungsverarbeitung immer wieder vergegenwärtigen, denn Sie werden es zeitweise anzweifeln. Machen Sie sich bewusst, dass sie es geschafft haben, sich selbst mit eigener Kraft aus einer sehr destruktiven, schädigenden und vor allem von Abhängigkeit geprägten Beziehung zu lösen. Auch wenn Sie mit Hilfe anderer die Trennung vollzogen haben, die Entscheidung dafür haben ganz alleine Sie getroffen. Machen Sie sich auch klar, dass Sie damit Höchstleistungen vollbrachten. Obwohl Sie durch die Beziehung sowieso schon psychisch enorm angeschlagen waren und trotz des Abhängigkeitsverhältnisses haben Sie es geschafft, die Beziehung loszulassen.

Es macht hier keinen Unterschied, ob Ihre Borderline-Partnerin/Ihr Borderline-Partner sich von Ihnen getrennt hat oder anders herum. Sie haben den Entschluss gefasst, sich nicht weiter auf das destruktive „Spiel" einzulassen.

**Wechsel zwischen Wut, Schmerz und Schuldgefühlen**

Ist die erste Erleichterung über die Trennung abgeklungen und beginnt der Partner langsam sein eigenes Leben wieder zu ordnen, ist er in den meisten Fällen einem Wechsel von starken Wut-, Schmerz- und Schuldgefühlen ausgesetzt. Zum einen ist da die Wut auf die Borderline-Persönlichkeit, zum anderen die Wut auf sich selbst, sich auf eine derart zerstörerische Beziehung eingelassen zu haben. Diese Gefühle werden abgelöst von dem eines großen Schmerzes, einen überaus geliebten Menschen verloren zu haben. Es entstehen auch immer wieder große Schuldgefühle, die Borderline-Persönlichkeit verstoßen, mit der Krankheit alleine gelassen zu haben und mit Befürchtungen der Partner könnte sich nun etwas antun.

In der Phase der Wut erinnert sich der Partner an alle destruktiven Handlungen, die er über sich ergehen lassen musste. Seien es Beschimpfungen, Demütigungen, Erpressungen, seelische oder körperliche Gewalt. Man hat das Gefühl, unglaublichen Schrecklichkeiten ausgesetzt gewesen zu sein. Man möchte schreien vor Wut, hat vielleicht Gewaltphantasien gegen den Partner. Erzürnt sich über die Menschen, die den Partner zum Borderliner gemacht haben, die ihn zerstörten und man nun selbst unter der Vernichtung der armen Seele leiden muss. Man gerät in Rage, wie es sein kann, dass ein Mensch einen anderen auf skrupelloseste Weise manipulieren kann. Sind eventuell noch Kinder mit im Spiel und werden sie, wie üblich, als Machtinstrument missbraucht, bricht die Wut noch viel stärker hervor und ist gepaart mit einem Gefühl des hoffnungslosen Ausgeliefertseins auf Jahre hinaus. Eine andere Variante der Wut, die auch immer wieder auftaucht, ist der Zorn auf sich selbst, warum man es zugelassen hat, dass ein anderer Mensch einen zerstört. Häufig wird den Partnern hier erst bewusst, in welch tiefer Abhängigkeit sie sich bereits befanden, dass die Abhängigkeit bereits so groß war, dass sie die Zerstörung an sich selbst nicht einmal mehr richtig bemerkten. Ebbt die Wut ab, stellen sich wieder Schuldgefühl ein. Man klagt sich an bis hin zur Selbstzerfleischung. Man kann sich selbst nicht verzeihen.

Und dann kommt der tiefe, tiefe Schmerz, einen geliebten Menschen verloren zu haben. Sich den Menschen aus dem Herzen herausgerissen zu haben. Die Partner erinnern sich an die schönen Zeiten. Die schönen Erlebnisse, die Nähe, die Liebe, den besten Sex des Lebens, die Anerkennung, an das „aufgeräumt sein". Manchmal ist die Erinnerung an die Borderline-Partnerin/den Borderline-Partner auch nach Monaten noch so frisch, als hätte man sie/ihn erst vor einer Stunde noch gesehen, gefühlt und sei ihr/ihm nahe gewesen. Es entsteht ein unendlich tiefes Trauergefühl. Dieses wird häufig noch vom Gefühl der Hoffnungslosigkeit begleitet, denn wenn ein Partner einer Borderline-Persönlichkeit, die Destruktivität der Beziehung wirklich erkannt hat, weiß er, dass es kein Zurück mehr gibt, denn das wäre die absolute Selbstaufgabe, zu vergleichen mit dem eigenen Tod. Auch diese Tatsache ist bei den meisten „normalen" Trennungen anders, hier kann der Trauernde immer noch hoffen, wenn er will. Die Tränen, die in „selbstgewählter" Hoffnungslosigkeit geweint werden, sind nicht wirklich erleichternd. Wenn sie fließen, schmerzen sie zwar, aber sie reinigen nicht die Seele, wie die Tränen, die in Hoffnung geweint werden.

Während der nächsten Wochen und Monate werden Sie immer wieder hin- und her gerissen zwischen den Gefühlen. Einen Tag fühlen Sie sich vielleicht stärker und sind sachlicher, bis Sie am darauf folgenden eventuell die Wut übermannt. Am nächsten Tag werden Sie durch irgendetwas an Ihre Liebe erinnert und Trauer und Schmerz wird Sie überkommen. Am darauf folgenden Tag wiederum empfinden Sie vielleicht Schuldgefühle oder Scham. Oder es taucht wieder in großen Lettern die Frage auf: WARUM?

Haben Sie eine gewisse Zeit die wechselnden Gefühlsbäder von Wut, Schmerz und Schuldgefühlen und die endlosen Fragen nach dem Warum durchlebt, werden Sie eine Phase der inneren Lähmung erfahren. Denn nach einer gewissen Zeit werden Sie erschöpft sein, es satt haben, ständig wechselnden Gefühlen ausgesetzt zu sein und keine befriedigende Antwort auf Ihre Fragen gefunden zu haben. Sie werden sich fragen, wie lange das noch so weitergehen soll, wann Ihre Borderline-Partnerin/Ihr Borderline-Partner endlich aus Ihrem Kopf und vor allem aus Ihrem Herzen verschwunden sein wird. Vielleicht werden Sie das Gefühl haben, dass das Leben draußen an Ihnen vorüberzieht. Vielleicht werden Sie sich aus Ihrem sozialen Gefüge zurückziehen, weil Ihnen alles zu viel ist.

Später stellt sich eine neue Frage aus einer etwas entspannteren Perspektive: Was ist da mit mir passiert? Sie fragen sich, wie es geschehen konnte, dass ein Mensch

Sie als Erwachsenen in Ihren eigenen inneren Strukturen derart erschüttern konnte, dass Sie nun Ihre Werte nicht mehr wahrnehmen können? Es könnte Ihnen vorkommen, als wären Sie einer Gehirnwäsche unterzogen worden. Es könnte ein Gefühl entstehen, dass alles in Ihrem Leben, das Sie bisher bezüglich Ethik, Moral, sinnvollem Fluchtverhalten und der Sicherheit des Geliebtwerdens über den Haufen geworfen wurde.

Es ist typisch für Angehörige, immer wieder von einem überaus großen Schuldgefühl gegenüber der Borderline-Persönlichkeit übermannt zu werden, weil Sie sich getrennt haben, im Stich gelassen haben, gar öffentliche Schritte gegen die Person eingeleitet haben. Es ist in diesem Zusammenhang wichtig für Sie, klar zu erkennen, dass eine Borderline-Persönlichkeit Sie dazu bringen kann, Dinge zu tun, die Sie mit einem „normalen" Menschen nie tun würden. Wenn sich also deswegen wieder Schuldgefühle bei Ihnen einstellen, machen Sie sich bewusst, dass Sie sich gegen ein destruktives Verhalten Ihrer Partnerin/Ihres Parnters gewehrt haben. Sie haben beispielsweise Gerichte und Polizei eingeschaltet, weil Sie den Terror nicht mehr ausgehalten haben und nicht, weil sie einem kranken Menschen Böses antun wollten. Mit ziemlicher Sicherheit hätten Sie dies ohne Grund nie getan. Die Borderline-Persönlichkeit hat die Handlungen bei Ihnen ausgelöst, nicht umgekehrt.

## Haben Borderliner ein Gewissen?

Ein weiteres zentrales Thema ist der berechtigte und natürliche Wunsch, dass Borderline-Persönlichkeiten ihre Schuld am Scheitern der Beziehung einsehen und die Verantwortung für die Fehler, die vorgefallen sind, übernehmen. Nur leider werden hier die meisten bitter enttäuscht. Es wird kaum eine Entschuldigung, eine angemessene Rechtfertigung geben. Das liegt in der Natur von Borderline. So wird auch die Trennungsverarbeitung um ein weiteres erschwert, denn durch eine Einsicht der Borderline-Persönlichkeit in ihr Fehlverhalten hätte man die Möglichkeit, zu verzeihen. Da es aber keine Einsicht gibt, sondern in den meisten, Fällen nur Schuldzuweisungen, kann man erst einmal auch nichts vergeben.

Bei normalen Trennungen spielen sich im schlechtesten Fall die Fehlverhalten in den jeweiligen Köpfen der Partner ab. Auch wenn die Bestandsaufnahme der Fehler nicht unbedingt mit der Realität zu tun hat, so schließt doch jeder für sich die Beziehung irgendwann ab. Im besten Falle, gibt es noch eine offene Aussprache und die Ex-Beziehung kann klar aufgearbeitet werden. Im Falle der Borderline-Beziehung sieht das völlig anders aus. Die Partner von Borderline-Persönlichkeiten lechzen geradezu nach einer Entschuldigung und werden nie erhört.

Aus diesem Grunde soll die häufig geführte Diskussion hier erwähnt werden, ob Menschen mit der BPS überhaupt über ein Gewissen verfügen. Es wird behauptet, dass sie kein echtes Gewissen haben, sondern so etwas wie ein „schlechtes Gewissen", wenn sie etwas angestellt haben, vergleichbar zu einem Kind im Alter von 3 Jahren, das Angst vor Strafe hat. Sie hätten nur ein Gefühl von Reue, das mit echtem Gewissen nichts zu tun hätte und dies nur dann, wenn ihre Handlungen gewisse unangenehme Konsequenzen für sie darstellten. Gewissen setze ein Unrechtsbewusstsein voraus, das bei Menschen mit der BPS ausschließlich ihren Stimmungen unterworfen und nicht konstant sei. Ein Mensch mit der BPS würde die Verletzungen, die er angerichtet hat, gar nicht „begreifen". Seine Handlungen seien ausschließlich auf das „Überleben" ausgerichtet und da wäre kein Platz, an andere zu denken, geschweige denn an eine echte Schuldhaftigkeit.

**Warum hört der Schmerz nicht auf?**

Grundsätzlich berichten alle Ex-Partner von Menschen mit der BPS, dass die Trennungsverarbeitung und der Schmerz im Verhältnis zu „normalen" Trennungen ungewöhnlich lange anhalten. Dies lässt sich einfach dadurch erklären, dass im Vergleich zu einer „normalen" Beziehung aufgrund des Borderline-Verhaltens eine viel tiefere Bindung entstanden ist. Es handelt sich psychologisch gesehen um „affektive Bindung": entstanden durch Affekte wie Gefühle, Emotionen, Stimmungen oder Temperament.

Begegnen sich zwei Menschen und teilen ein Stück Lebensraum miteinander, so treffen ihre Wünsche und Bedürfnisse, Erwartungen, Meinungen, Ziele und Werte und ihre Handlungen aufeinander. Zahlreiche Gefühle werden hierdurch berührt, aktiviert und die Erlebnisse als Erfahrungen im Gedächtnis gespeichert. Zwischen zwei Menschen kann man nun eine Gefühls-Ereignis-Matrix annehmen, die als Resultat gemeinsamer Erfahrungen aufgefasst werden kann. Diese repräsentiert dann die Beziehung und Bindung zwischen den beiden Menschen. In der Borderline-Problematik entsteht hier natürlich eine zerstörerische Gefühls-Ereignis-Matrix.

Interessant im Zusammenhang mit der BPS sind die Theorien der Bindungsparadoxa der pathologischen Bindungen. Sie machen darauf aufmerksam, dass Bindung und Liebe nicht identisch sind. Nicht jede Bindung bedeutet Liebe, aber jede Beziehung zieht eine Bindung nach sich oder bildet eine aus. Wir alle kennen jene paradoxen Phänomene, dass Menschen in ein Milieu zurückgehen, wo sie geschlagen, entwürdigt und ausgebeutet werden, obwohl niemand sie dazu zwingt (z. B. Frauenhäuslerinnen, Prostituierte, Kriminelle). Es sind paradoxe Phänomene der Hörigkeit und Abhängigkeit, wenn Menschen geschlagen, vernachlässigt, weggestoßen, also gar nicht geliebt werden und trotzdem in eine selbstschädigende Beziehung zurückkehren.

Eine Hypothese zur Erklärung dieses absonderlichen Verhaltens liefert Skinners Lerntheorie. Demnach wird eine Bindung mehr gefestigt, wenn die Verstärkung (positive = Gabe einer Belohnung, negative = Wegnahme einer Strafe) unregelmäßig erfolgt. Das bedeutet, dass Irrationalität und Unberechenbarkeit starke Bindungen erzeugen und dies trifft voll und ganz auf das Miteinander in einer Borderline-Beziehung zu.

So ist für Ex-Partner von Menschen mit der BPS durch das unberechenbare und irrationale Verhalten, sowohl im positiven, als auch im negativen Sinne, eine sehr starke Bindung entstanden. Und in gleichem Verhältnis zur Stärke der Bindung, ist ein Mehraufwand für die Trennungsarbeit notwendig. Das bedeutet: mehr Schmerz, mehr Zeit, mehr sich auseinandersetzen und mehr Geduld usw., als bei normalen Trennungen.

**Auszug aus dem Songtext von Silbermond, „Durch die Nacht"**

Kann mich wieder nicht ablenken.
Alles dreht sich nur um dich.
Ich liege hier und zähle die Tage.
Wie viele noch kommen? Ich weiß es nicht.
Was hast du mit mir gemacht?
Warum tust du mir das an?
Was soll ich noch ändern?
Ich komm nie wieder bei dir an.

Ich will weg von hier.
Doch es scheint egal wohin ich lauf,
Das mit dir hört nicht auf.
Sag mir wann hört das auf?

Und ich kämpf mich durch die Nacht
Hab keine Ahnung, was du mit mir machst.
Ich krieg dich nicht aus meinem Kopf
Und dabei will ich doch!

Und ich kämpf mich durch die Nacht
Bin unter Tränen wieder aufgewacht
Ich krieg dich nicht aus meinem Kopf
Und dabei muss ich doch!

Alle meine Wünsche
Hab ich an dir verbraucht.
Ich kann es selbst nicht glauben
Denn nur ich hol mich hier raus

Es fällt mir schwer es zu kapieren
Doch irgendwie wird es schon gehen
Alles würde sich verändern
Wenn ich dich nicht mehr wiederseh.

Ich will weg von hier
Doch ich weiß egal wohin ich lauf
Das mit dir hört nicht auf,
Sag mir wann hört das auf?

Oh, ich kann nicht mehr

## 5. Der Weg ins neue Leben

**Die Zeit heilt alle Wunden - lassen Sie den Schmerz zu!**

Lassen Sie sich Zeit bei Ihrer Trennungsverarbeitung. Sie waren genügend Stress ausgesetzt, nun beginnt die Genesungs- und Rehabilitationsphase, welche einfach ihre Zeit einfordert. Stellen Sie sich vor, Sie hätten einen großen Unfall erlitten, haben mit schweren Verletzungen überlebt. Nachdem Sie nun medizinisch versorgt wurden, beginnt der Prozess der Heilung und das dauert einfach seine Zeit.

Je mehr Sie sich in dieser Phase schonen und je mehr Sie Gutes für sich tun, desto schneller werden die Wunden heilen und doch fordert die Wiederherstellung ihre individuelle Zeitspanne. Auch wenn Sie, konfrontiert mit intensiven Gefühlen von Wut, Schuld und tiefem Schmerz, eine Sehnsucht danach entwickeln, dass dies aufhört und Sie den Drang verspüren, sich immer wieder darum zu bemühen, dem „Gefühlssumpf" zu entkommen, machen Sie sich stets bewusst, dass es eine Weile braucht. Dieses Bewusstsein müssen Sie sich wieder ganz neu holen, denn durch das Symptom der pathologischen Ungeduld Ihres Ex-Partners aufgrund seiner Persönlichkeitsstörung wurde es Ihnen weitgehend genommen. Und gerade dieses Bewusstsein ist für Ihre Trennungsaufarbeitung am wichtigsten.

Geben Sie sich Ihrem Schmerz hin und versuchen Sie, ihn zuzulassen. Je mehr Ihnen dies möglich ist, desto erträglicher wird er und desto schneller wird Ihre persönliche Heilung in Gang gesetzt. Achten Sie auf Ihre Gefühle, achten Sie auf Ihren Schmerz, lassen Sie ihn kommen, wenn er will, nehmen Sie ihn an, atmen Sie tief durch, lassen Sie die Tränen fließen. Machen Sie sich bewusst, dass jede geweinte Träne ein kleiner Schritt zur Gesundung, ein kleiner Schritt in Ihr neues Leben ist. Wenn es Ihnen vollkommen gelingt, sich dem Schmerz hinzugeben, kann es sogar passieren, dass sie ihn als schönes Gefühl wahrnehmen werden.

Sollte es Ihnen in Momenten oder über eine längere Zeitspanne hinweg nicht möglich sein, den Schmerz wahrzunehmen, weil er sie zu übermannen droht, ist es vollkommen in Ordnung, wenn Sie sich ablenken, um auf andere Gedanken zu kommen. Nur seien Sie sich bewusst, dass der Schmerz irgendwann raus will und muss.

Vorteilhafte Möglichkeiten der Ablenkung sind:

- Gutes für sich selbst tun, wie etwa in die Natur gehen, Sport machen, sich selbst besonders pflegen, neue Kleidung kaufen, in Urlaub fahren.

- Etwas Neues beginnen, vielleicht etwas, dass Sie schon immer tun wollten. Manche Partner von Menschen mit der BPS haben Höchstleistungen während Ihrer Trennungsverarbeitung erreicht.

- Arbeiten, zum Beispiel um Ihre eventuell desolate finanzielle Situation zu verbessern. Überfordern Sie sich jedoch nicht.

- Ihren Wohnraum verändern; hier unterstützen Sie auf sehr positive Weise Ihr Bewusstsein über die Trennung.

- Unter Menschen gehen, freudvolle Veranstaltungen besuchen.

- Sich mit wirklich guter Literatur beschäftigen und dies nicht nur zum Thema Borderline, sondern auch zu ganz anderen Themen.

- Sich kreativ beschäftigen, schreiben Sie, malen Sie, die meisten großen Künstler haben ihr persönliches Schicksal mit Kunstwerken ausgedrückt.

Hinter allen Möglichkeiten der Ablenkung vom Trennungsschmerz steckt der Sinn, dass der/die Partner/in einer Borderline-Persönlichkeit seine/ihre lebensverleugnenden Scheuklappen ablegt. Es muss erkannt werden, dass es noch eine Welt außerhalb der verlorenen Liebe, der Verletzung und Borderline gibt, die einen erfüllenden Sinn für jeden einzelnen bereithält.

## Therapie und Menschen

Da Sie mit großer Wahrscheinlichkeit durch Ihre Partnerin/Ihren Partner mit der Borderline-Persönlichkeit weitgehend von Ihrem sozialen Umfeld abgeschnitten wurden, ist es nun enorm wichtig, wieder ein neues soziales Netz zu schaffen. Knüpfen Sie neue Kontakte, frischen sie alte wieder auf, auch wenn es Ihnen schwer fällt. Treffen Sie andere Menschen, versuchen Sie, ins Gespräch zu kommen. Sie werden sich zwar manchmal wie ein „Außerirdischer" fühlen, der nicht verstanden wird und der sich nicht mitteilen kann, aber so kommen Sie wieder mit dem Rest der Menschheit in Verbindung.

Suchen Sie sich Vertraute und reden Sie über Ihren Schmerz und über das, was vorgefallen ist. Damit erklären Sie sich selbst Ihre Beziehung noch mehr und erlangen größere Bewusstheit, was eigentlich passiert ist. Bleiben Sie sich aber auch im Klaren darüber, dass viele Menschen, auch wenn sie es noch so gut mit Ihnen meinen, Sie nicht verstehen werden. Viele werden entsetzt sein und sich wundern, warum Sie das alles mitgemacht haben und warum Sie der Schmerz dennoch so sehr plagen kann. Lassen Sie sich nicht von diesem Verhalten enttäuschen. Damit Sie selbst Ihr Umfeld verstehen, denken Sie an die Zeit vor Ihrer Beziehung: Wenn Ihnen damals jemand Ähnliches erzählt hätte, hätten Sie es dann verstehen können? Wahrscheinlich schwer, möglicherweise gar nicht. Teilen Sie sich trotzdem weiter mit, erklären Sie die Krankheit Borderline und dass dies einer der Gründe war, warum Sie in eine Beziehungsabhängigkeit geraten sind. Auch wenn das Verständnis der Menschen um sie herum zu wünschen übrig lässt (denn **wirklich** verstehen, kann Sie nur eine Person, die gleiches erlebt hat und) ist es für Ihre Gesundung wichtig, darüber zu sprechen.

Wenn möglich, gehen Sie in eine Borderline-Angehörigen-Gruppe oder gründen Sie selbst eine. Sie werden erstaunt sein, wie sich die Geschichten ähneln, Sie werden sich verstanden fühlen und können sich gegenseitig aus diversen Gefühlslöchern heraushelfen. Sie können den Trennungs-Prozess bei anderen beobachten und Menschen treffen, die noch in einer Beziehung sind. Falls in Ihrer Umgebung keine Borderline-Angehörigen-Gruppe zu finden ist, gründen Sie mit Gleichgesinnten eine oder gehen in eine Angehörigen-Gruppe für psychisch Kranke. Dies ist besser als gar keine Gruppe.

Holen Sie sich therapeutischen Rat. In den meisten Fällen genügt eine kurzfristige ambulante therapeutische Unterstützung. Einige wenige Angehörige schaffen den Absprung von ihrer Partnerin/ihrem Partner mit der BPS nur durch eine Klinik. Wenn Sie das Gefühl haben, dazu zu gehören, scheuen Sie sich nicht, diesen Schritt zu gehen, IHR LEBEN ist wertvoll. Holen Sie sich auf jeden Fall fachliche Hilfe, wenn Sie das Gefühl haben, es täte Ihnen gut. Es gibt zwar kaum Therapeuten, die sich speziell mit Angehörigen von Menschen mit der BPS auskennen, jedoch ist fachpsychologischer Beistand in der Trennungsphase enorm hilfreich. Suchen Sie sich einen Therapeuten, bei dem Sie das Gefühl haben, aufgehoben zu sein. Es geht primär nicht darum, die Dinge tiefenpsychologisch bis in die eigene Kindheit zu analysieren, sondern darum, dass Sie sich in Ihrer derzeitigen Situation verstanden fühlen können.

Stellen Sie sich vor, dass das Reden über Ihre Situation wie ein Verbandswechsel wirkt. Sie schauen sich die Wunden immer wieder an, versorgen und verbinden sie und das fördert den Prozess der Heilung.

## Sich selbst verzeihen

Einer der wichtigsten Schritte bei der Trennungsverarbeitung ist, sich selbst zu verzeihen. Sie können die Vergangenheit nicht rückgängig machen. Sie haben sich viel gefallen lassen und sind in ein Abhängigkeitsverhältnis geraten. Diese einmal gemachte Erkenntnis lässt fast alle Betroffenen in Selbstvorwürfe, bis hin zur Selbstzerfleischung verfallen. Damit ist jedoch niemandem geholfen, am wenigsten Ihnen selbst.

Machen Sie sich bewusst, dass Sie manipuliert worden sind. Ja, Sie waren auch verliebt, aber Sie wurden von Ihrer Borderline-Partnerin/Ihrem Borderline-Partner aufgrund ihrer/seiner psychischen Struktur hochgradig beeinflusst und gesteuert. Denken Sie auch daran, dass Ihre Partnerin/Ihr Partner aufgrund der Krankheit nicht anders handeln konnte, ihr/ihm ist es selbst nicht bewusst gewesen. Sie wurden in eine psychische Krankheit hinein gezogen, die geradezu davon lebt, ihre Beziehungspartner bis zum Letzten auszusaugen. Selbst ausgebildete Fachleute begegnen der BPS mit großem Respekt und manche weigern sich sogar, Menschen mit diesem Krankheitsbild zu behandeln, weil Sie sich sogar als Therapeuten der Manipulation nicht gewachsen fühlen.

Wie sollten Sie also als ein psychologisch nicht ausgebildeter Mensch, der ohne jegliches Wissen um die Krankheit und sich sogar noch in einer tiefen emotionalen Verstrickung mit der Borderline-Persönlichkeit befindend, erkennen, was hier passierte. Wenn Sie sich sagen, Ihre Menschenkenntnis hätte versagt, dann haben Sie Unrecht, denn kaum jemand bemerkt auf Anhieb die BPS. Sie können nicht einmal behaupten, dass Sie Schuld hätten, weil Sie Ihrem Partner gestatteten, Ihren Selbstschutz auszuhebeln. Denn Sie haben sich aus Liebe geöffnet und wurden dann manipuliert.

Je stärker Sie in Gefühlen von Selbstvorwürfen, Selbstmitleid und Scham verharren, desto weniger übernehmen Sie Verantwortung für Ihr neues Leben. Das sollten Sie jedoch jetzt beginnen. Betrachten Sie die vergangene Beziehung als etwas Außergewöhnliches, etwas Besonders in Ihrem Leben, was es zweifellos auch war. Sie haben Ihre Wunden davon getragen, diese werden später zu Narben, die zeigen, welchen Erfahrungsschatz Sie durch die Beziehung erhalten haben.

**Werte neu ordnen und Grenzen wieder finden**

"Wir können nur dann überleben, wenn wir Ereignisse in einen Zusammenhang stellen und ihnen Bedeutung geben." Denken Sie einmal über diesen Satz der Psychologin Paola Bressan im Zusammenhang mit der Beziehung zu Ihrer Partnerin/Ihrem Partner mit der BPS nach.

Können Sie, wenn Sie ehrlich zu sich selbst sind, das Verhalten Ihrer Partnerin/Ihres Partner in einen sinnvollen Zusammenhang stellen, ohne dass Sie die Erklärung über die BPS auf der rein intellektuellen Ebene suchen? Können Sie einen Zusammenhang entdecken zwischen dem Gefühl, dass Ihre Partnerin/Ihr Partner mit der BPS Sie in einem Moment abgöttisch liebte und im anderen Moment mit hasserfüllten Augen anblickte und dem eine Bedeutung geben? Wo ist der Zusammenhang und welche Bedeutung könnten Sie erkennen, wenn Sie sehen wie Ihre Partnerin/Ihr Partner mit der BPS sich massiv selbstzerstörerisch verhält, etwa wenn sie/er sich schneidet oder versucht, sich umzubringen?

Sie können es nicht, weil das niemand kann UND Sie brauchen es auch nicht, denn das ist nicht mehr Ihre Welt. Das ist die irrationale Welt von Borderline. Sie haben beschlossen auf die Seite der Überlebenden zurückzukehren und Sie werden wieder dorthin zurückfinden, Ereignisse in einen Zusammenhang zu stellen und ihnen wieder Bedeutung und Sinn zu geben.

Aufgrund würdeloser Behandlung durch Ihre Partnerin/Ihren Partner mit der BPS sind Sie von tiefem Zweifel an Ihrer eigenen Würde befallen. Durch respekt- und liebloses Verhalten sind Respekt und Liebe für Sie zu Fremdwörtern geworden. Ihre Fähigkeiten und Talente wurden Ihnen eifersüchtig geraubt. Die Liste der missachteten Werte ließe sich beliebig fortsetzten. Nun ist es an der Zeit, sie wieder neu aufleben zu lassen.

Bei der Trennungsverabeitung einer Beziehung zu einer Borderline-Persönlichkeit ist es enorm wichtig, nach einer angemessenen Zeit die Opferrolle zu verlassen. Denn aus der Sicht des Opfers können Sie Ihre Werte nicht wieder finden. Sie unterwerfen sich mit dieser Haltung den „NICHTWERTEN" der Borderline-Persönlichkeit, die einzig aus einem Wechsel momentan erlebter Gefühle bestehen. Erst wenn Sie es schaffen, sich aus der Opferrolle zu befreien, werden Sie in der Lage sein, langsam, aber sicher Ihre alten oder auch neue Werte wahrzunehmen.

Lassen Sie sich auch hier Zeit. Vielleicht erstellen Sie eine Liste, was Ihnen früher wichtig war, wie zum Beispiel Pünktlichkeit, Zuverlässigkeit, in einer Beziehung Lasten miteinander „gerecht" zu teilen, ein respektvoller Umgang, sich ab und zu zurückziehen und vieles mehr. Schon beim Erstellen dieser Liste werden Sie eine Ahnung davon bekommen, wie Ihre Werte mit Füßen getreten wurden. Sie können noch einen Schritt weitergehen und die einzelnen Begebenheiten, mit denen man Ihre Werte missachtete, dazuschreiben. Das wird eine Offenbarung für Sie sein. Lassen Sie sich nicht davon runterziehen, sondern versprechen Sie sich, ab sofort auf Ihre Werte zu achten und dafür einzustehen. Alles andere gehört der Vergangenheit an.

Auch nach längerer Zeit, wenn sich vielleicht wieder eine neue Beziehung anbahnen könnte, werden Sie wahrscheinlich sehr wachsam sein, was den Respekt Ihren Werten gegenüber angeht. Das ist dann ein weiterer Lernprozess, in dem Sie sich selbst erkennen. Hier wäre es dann wichtig, die Grenzen beim neuen Partner auch zu kommunizieren. Bedenken Sie **IMMER**: Sie haben ein Recht auf Ihre Werte, Ihre Grenzen, Ihre Würde.

## 6. Schwarz-weiße Fallbeispiele

Im Folgenden haben vier Ex-Partner, die eine Beziehung mit einer Borderline-Persönlichkeit hinter sich haben, ihre Geschichte aufgeschrieben. Alle haben eine andere Geschichte erlebt und doch ähneln sie sich. Es ist der gleiche intensive Schmerz, die gleiche Wut und Trauer, die die jeweiligen Borderline-Persönlichkeiten bei ihren Partnern zurück gelassen haben.

Alle vier Partner, Viola, Sonja, Bert und Lukas berichteten, dass sie durch das Schreiben ihrer persönlichen Geschichte noch einmal mit der ganzen Wucht der vergangenen Geschehnisse konfrontiert wurden. Jedoch half ihnen das Aufschreiben enorm bei ihrer Trauerverarbeitung.

Es wurde hier bewusst darauf verzichtet, den Schreibstil zu verändern, um die einzelnen Schicksale in ihrer Besonderheit zu belassen.

Viola, 34 Jahre, tätig im öffentlichen Dienst, war knapp 6 Jahre mit Rian zusammen. Als er gewalttätig wurde, schaffte sie die Trennung mit Hilfe einer Einweisung in eine Klinik. Sie ist jetzt seit einem Jahr getrennt und leidet immer noch unter den Folgen.

Sonja, 42 Jahre, war insgesamt 14 Monate mit Bobek in Beziehung, davon vier Monate verheiratet. Sie stand am Ende mit 10.000 Euro Schulden da und litt länger unter der Trennung als die Beziehung selbst dauerte.

Bert, 37 Jahre, arbeitet im technischen Support einer Computerfirma, stammt aus gutbürgerlichem Haus mit katholischer Erziehung und wurde durch seine Maja in eine vollkommen andere Welt hineinkatapultiert. Aus der Verbindung entstand ein Kind, zu dem ihm der Kontakt mit allen Mitteln, die eine ausgeprägte Borderline-Persönlichkeit wahrnehmen kann, verwehrt wird.

Lukas, 30 Jahre, Personaldisponent, war 2 Jahre mit Maurin zusammen. Neben allen Höhen und Tiefen, die diese Beziehung mit sich brachte, stellte sich am Ende heraus, dass Maurin bisexuell ist. Lukas stößt immer wieder auf Partnerinnen mit der Borderline-Persönlichkeitsstörung.

## Violas Liebe – Die weiße Seite

Rian traf ich das erste Mal in der Rehaklinik, in der ich nach einem schweren Verkehrsunfall wieder aufgepäppelt wurde. Ich wartete auf einen Termin, während er hereinkam. Er hatte eine Sonnenbrille auf, stutzte kurz im Vorbeilaufen und sah mich aufmerksam an, was ich jedoch nur dem Hochziehen seiner Augenbrauen entnehmen konnte. Aufgrund der Sonnenbrille konnte ich seine Augen nicht sehen und empfand ihn als arrogant.

Später stellte sich heraus, dass er ein sehr spaßiger Vogel war. Er saß beim Essen am selben Tisch und bald lachten alle über seine seltsamen Vorlieben beim Essen (Käse mit Honig) und seinen Kauderwelsch aus Deutsch und Englisch. Da er als Einziger am Tisch weder auf Krücken noch auf einen Rollstuhl angewiesen war, kümmerte er sich um die weniger Beweglichen, schob Stühle zurecht, manövrierte Rollstühle, hob gefallene Sachen auf, war kurzum „ganz englischer Gentleman" und „Spaßkasperl".

Er lief mir wie zufällig immer wieder über den Weg, ich traf ihn beim Spazierengehen, beim Warten auf Termine, in der Cafeteria und sogar nachts auf den Fluren, wenn ich nicht schlafen konnte. Zu meinem Geburtstag, etwa 10 Tage nach unserem ersten Treffen, schenkte er mir ein Gedicht, handgeschrieben, englisch, auf rotem Papier. Es ging um ein warmes, faszinierendes Licht, das sich zu einer Flamme, einer Glut in einer kalten Winternacht entwickelt, Herz, Seele und Körper wärmt und endlos weiterglüht. Es war das schönste Geburtstagsgeschenk, obwohl ich annahm, er hätte es irgendwo abgeschrieben. Es traf meine tiefsten Sehnsüchte und meinen Hunger nach Geborgenheit und einem Zuhause. Kurz darauf folgte ein weiters Gedicht, betitelt mit „To you". Er brachte darin seinen glühenden Wunsch, mich zu berühren, zu küssen, etwas zu entfachen zum Ausdruck. Ich wagte nicht, ihm darauf zu antworten, vermied, das Gespräch darauf zu lenken. Dass er bereits etwas entfacht hatte, ignorierte ich – mir und ihm gegenüber.

Unsere Treffen wurden häufiger, die Gespräche intensiver und tiefgründiger. Ich lernte einen ungewöhnlichen, einfühlsamen Menschen kennen, der gut zuhören konnte. Oft leistete er mir auch Gesellschaft, wenn ich auf meinen damaligen Freund wartete, der mich zusehends vernachlässigte. Dass ich mich noch in einer Beziehung befand, wusste Rian. Obwohl ich spürte, dass von seiner Seite mehr als freundschaftliche Gefühle für mich vorhanden waren, respektierte er es. Mit Bemerkungen wie: „Warum lässt er dich solange warten?" und „Warum besucht er dich so selten?" signalisierte er sein Unverständnis und seinen Vorwurf meinem damaligen Freund gegenüber. Tatsächlich enttäuschte mich die Beziehung zu diesem schon länger und zusehends mehr, insbesondere weil er sich nicht zu mir bekennen wollte und auch von einem Zusammenleben nichts hielt. Während meiner Zeit *in der Rehaklinik hatte er sich eine eigene Wohnung gekauft und mir damit deutlich gemacht, dass eine gemeinsame Zukunft von seiner Seite aus nicht gewollt war.*

*Rian fing diese Enttäuschung auf, obwohl ich selten davon sprach. Ich mochte seine Zurückhaltung. Eines Abends, die allabendliche Runde hatte sich aufgelöst, die Cafeteria geschlossen, folgte ich Rian auf sein Zimmer, denn er hatte „sturmfrei", da sein Zimmergenosse früher abgereist war. Er zeigte mir, was er gerade las und zitierte daraus ein Gedicht von Shelby. Wir sprachen über Literatur und er fragte, wie mir seine Gedichte gefallen hätten. Ich fühlte mich ertappt und versuchte, mich mit Ausflüchten aus der Situation zu winden, indem ich Verständnisprobleme vorschob. Er las mir das letztere Gedicht nochmals langsam, Zeile für Zeile, mit seiner sanften, tief klingenden Stimme vor.*

*Das Herz schlug mir bis zum Hals, ich hielt die Luft an, war sprachlos. Nach der letzten Zeile hob er den Blick, sah mich an, es gab keinen Zweifel mehr, diese Zeilen waren von ihm direkt an mich, aus tiefster Seele und tiefstem Herzen. Minutenlang saßen wir da, bewegungslos, die Blicke ineinander verschlungen, in einer mir nie zuvor gekannten Übereinstimmung von Gefühlen, übermannt, überwältigt, noch ohne jede Berührung. Auf Rians Frage, ob er mich küssen dürfe, reagierte ich mit Panik und floh. Erst in den frühen Morgenstunden fiel ich in einen unruhigen Schlaf.*

*Überwältigt und verwirrt von der Intensität meiner Gefühle, versuchte ich Abstand zu Rian zu halten. Schließlich war da noch mein Freund. Die Entscheidung fiel bei dessen nächsten Besuch. Anstatt irgendetwas über unsere Beziehung und deren Zukunft zu äußern, sprach er nur von seiner Wohnung. Schließlich platzte mir der Kragen und ich teilte ihm wutentbrannt mit, dass mich seine Wohnung einen feuchten Dreck interessiere. Und plötzlich wusste ich, dass ich in dieser Beziehung nichts mehr verloren hatte.*

*Sonntags darauf war Flohmarkt und Rian und ich hatten vereinbart, dorthin zu gehen. Nachdem wir alles durchgestöbert hatten, ließen wir uns im nahe gelegenen Cafe auf der Sonnenterrasse nieder. Es war ein warmer, sonniger Herbsttag und bald blendete die Sonne mich. Rian hob schützend die Hand vor meine Augen und als ich sie berührte, war es geschehen. Er ließ sie nicht mehr los. Wir küssten uns, vergaßen Mittagessen, Cappuccini, Zigaretten und die Welt um uns herum. Es schien nur uns auf dieser Sonnenterrasse zu geben und wir brauchten nichts anderes.*

*Wir küssten uns, hielten uns, berührten uns und erst als die Sonne sich verabschiedete, realisierten wir, dass wir von 11 Uhr vormittags bis 17 Uhr abends nichts getan hatten als uns zu küssen. In der Klinik verbrachten wir von nun an jede freie Minute miteinander, Rian wich nicht von meiner Seite. Er holte mich zum Frühstück von meinem Zimmer ab und ließ mich nachts erst nach endlosen Kussszenen auf dem Flur vor dem Zimmer schlafen* gehen. Nicht einmal mit meiner Teenagerzeit verband ich derart heftige und intensive Gefühle.

Wir wurden am gleichen Tag aus der Klinik entlassen und Rians Freund, der ihn abholte, nahm mich mit nach München. Rian konnte sich kaum losreißen, als habe er Angst, ich könnte verschwinden. Trotzdem bat ich ihn, zu gehen, da eine Klärung mit meinem Freund noch ausstand. Erst zwei Tage später wollten wir uns wieder sehen, um nochmals in die Klinik zu fahren und dort Freunde zu besuchen. Schon am nächsten Tag lag ein vierseitiger Liebesbrief in meinem Briefkasten.

Ich teilte meinem Freund mit, dass es für uns keine Zukunft gebe. Nachdem Rian am nächsten Tag vor der Tür stand, war für ihn klar, dass dies der Trennungsgrund sei und er reagierte plötzlich verletzt und in einer Art, wie ich ihn nie erlebt hatte. Auf dem Weg zur Klinik mit Rian schwieg ich, denn ich war berührt von der Reaktion meines Ex-Freundes. Rian tröstete mich und ich vergaß bald...

Wir mussten beide zu Hause noch den Rehabilitationsprozess fortführen und so kam es, dass Rian auftauchte, wann immer er Zeit hatte. In den Zeiten dazwischen rief er mich mehrmals an, erzählte mir, dass er ohne mich schlecht schlafe und mich vermisse. Konnte er mich telefonisch nicht erreichen, sprach er mir seine soeben selbst gebastelten Gedichte auf den Anrufbeantworter. Trafen wir uns wieder, so trug er sie vor. Zunächst hielt ich mich relativ oft bei meiner Familie auf, die etwa 200 km entfernt wohnte. Rian war kein Weg zu weit. Am Telefon erzählte ich ihm, dass ich mich mit ehemaligen Schulfreunden treffen wolle und das Wochenende bei meiner Familie verbringe. Er sagte: "Ich wünschte, ich könnte auch all diese wunderbaren Menschen, deine Freunde und deine Familie, kennen lernen". Es war nasskaltes Herbstwetter und Rian hatte außer seinem Motorrad keinen fahrbaren Untersatz. Ich wollte ihm klarmachen, dass es bei dieser Witterung und mangels Auto für ihn schlecht möglich wäre, vorbeizukommen. Er bestand darauf, machte sich sogleich auf den Weg und stand zwei Stunden später durchnässt, zerzaust und mit strahlenden Augen im Cafe, um meine Freunde kennen zu lernen.

Einmal trafen wir eine Freundin, die wir aus der gemeinsamen Zeit in der Klinik kannten. Er drückte mir ein kleines Päckchen in die Hand. Ich öffnete es, und es kam ein Ring zum Vorschein. „Das ist ein Stück deiner Geschichte und auch meiner, diesen Stein habe ich für jemanden ganz besonderen aufgehoben.", sagte er. Es war ein Stück Beton aus der Berliner Mauer, die er nach deren Fall besucht hatte. Den Stein hatte er von einer Goldschmiedin in massives Silber für mich fassen lassen. Er schien Gedanken lesen zu können. Er bekam beiläufig mit, dass ich Klaviermusik liebte. Eines Abends bat er mich, mich fein anzuziehen, er habe eine Überraschung. Er entführte mich auf ein Klavierkonzert.

*Rian hatte erzählt, dass er geschieden sei. Ich erhielt zufällig die Gelegenheit einen Blick auf persönliche Daten von ihm zu werfen., dort stand nur „getrennt lebend". Ich war alarmiert. Als wir eines Abends ausgingen, meinte er, Vertrauen sei das wichtigste in einer Partnerschaft und es gebe nichts, was er vor mir verheimlichen würde. Ob es etwas gäbe, das ich noch nicht von ihm wisse und gerne wissen wolle, er würde es mir erzählen. Also sprach ich ihn auf die Scheidung an und darauf, dass etwas anderes in seinen Papieren stünde. Er senkte kurz den Kopf, blickte wieder auf, lächelte mich sehr verliebt an, setzte sich neben mich, nahm meine Hand und küsste sie. „Du hast Angst, dass ich zu dieser Hexe zurückgehe?" fragte er „ich habe wohl verpasst, das Scheidungsurteil einzureichen, aber ich bin geschieden, und zwar schon seit einiger Zeit und werde dich jetzt, wo ich dich endlich gefunden habe, nie mehr loslassen." Zur Bestätigung zeigte er mir bei der nächst besten Gelegenheit das Scheidungsurteil. Als ich wieder zur Arbeit ging, blieb er in meiner Wohnung. Wenn ich nach Hause kam, wartete er bereits an der Wohnungstür, küsste und umarmte mich. Dann durfte ich nichts anderes tun, als es mir bequem zu machen und das von ihm liebevoll gekochte Essen genießen.*

*Eines Abends, nachdem wir gegessen hatten, ging er vor mir in die Knie und fragte mich, ob ich mir vorstellen könne, mit ihm zusammenzuziehen. Ich konnte mir nichts Schöneres vorstellen. Drei Monate später, fünf Monate nach unserem Kennenlernen, zogen wir zusammen. Nie war ich glücklicher als in dieser Zeit. Ich war seine „princess" und ich mochte sein „sweetheart". „Was wünscht du dir?" wollte er wissen „Ein Zuhause" war meine Antwort. „Ich wünsche mir, dass alles so bleibt wie jetzt" sagte er gedankenverloren. Er gab mir das Gefühl, als habe er nur auf mich gewartet und ich würde alles Schlechte, das in seiner Vergangenheit passiert war, wieder gutmachen. Einmal, in einem besonders innigen und glücklichen Moment sagte er: „Wo warst du nur die letzten 20 Jahre?"*

*Als er von meiner Familie eingeladen wurde, Weihnachten mit uns zu verbringen, war er außer sich vor Freude. Kurz vor Weihnachten überraschte er mich mit Tickets für eine Fähre nach England an Sylvester. „It's time my family gets to know you."*

## Violas Liebe - die schwarze Seite

*3 Monate nach unserem Kennenlernen, erlebe ich Rian zum ersten Mal aggressiv. Diese Aggressivität richtete sich gegen einen Helfer. Auf der Rückfahrt von England war uns kurz vor unserem Ziel das Benzin ausgegangen und ich hatte den ADAC angerufen. Natürlich war bald klar, warum das Auto eine Panne hatte und der ADAC-Helfer brachte seine Missbilligung zum Ausdruck. Daraufhin fing Rian an, zu toben und beschimpfte den Helfer in einer Art und Weise, die der Anlass nicht rechtfertigte, noch dazu, weil er der Fahrer war und wir erst 2 km zuvor eine Tankstelle passiert hatten. Ich konnte ihn damals besänftigen und bog die Situation auch dahingehend zurecht, als dass uns der ADAC bis zur nächsten Tankstelle mitschleppte.*

*Im Gegensatz zu mir erholte sich Rian von seinem Arbeitsunfall gar nicht und konnte daher auch nicht arbeiten. Viel schwieriger für ihn war, dass er bis zu seinem Unfall einer schweren körperlichen Arbeit nachgegangen war, die er nun nicht mehr ausüben konnte. Es folgten weitere Operationen und ein nicht enden wollender, zermürbender Kampf mit Behörden, Leistungsträgern, dem Arbeitsamt und seinem Arbeitgeber.*

*Nachdem er Engländer und der deutschen Sprache nur sehr mäßig mächtig war, übernahm ich diese Kämpfe für ihn, schrieb Widersprüche, Klagen, Beschwerden und Anträge, lief zum Rechtsanwalt und zu Beratungsstellen. Seine Depressionen und die immer schlechter werdende Laune schob ich auf seine missliche Lage.*

*Als wir etwa ein Jahr zusammen waren, bat ihn ein Freund, der ein Segelboot in Kolumbien besaß, um Hilfe. Rian war am Meer aufgewachsen und begeisterter Segler, daneben war er der perfekte Zuhörer und Seelenklemptner. Zur gleichen Zeit stand für mich eine weitere Operation an, in der mein Marknagel und die Schrauben entfernt wurden. Ich glaubte, es würde Rian gut tun, mit einem Freund segeln zu gehen und sich nützlich machen zu können. Also flog er für etwa dreieinhalb Wochen nach Panama und Kolumbien. Schon als ich ihm am Flughafen lange hinterher blickte, ahnte ich, dass etwas passieren würde.*

*Als er zurückkam, gestand er mir, dass er nicht treu gewesen sei. Bis heute weiß ich nicht, ob es mehrere Frauen waren oder eine einzige. Er sprach von zweien. Er erzählte mir nur davon, weil ihm sein Freund angedroht hatte, es zu tun. Überhaupt dieser Freund. Mit dem hatte er sich offenbar heillos zerstritten. Es war sogar zu einer Prügelei gekommen, die jeder von den beiden anders darstellte, ebenso wie die Frauengeschichten. Monate später fand ich in Rians Rucksack einen Brief an eine Frau, der er versprach, zurückzukommen und sie zu heiraten...*

*Ich war am Boden zerstört. Rian entschuldigte sich, und bedauerte, mir diesen Schmerz zugefügt zu haben. Ich fragte nach seinen Gründen und er tat es als reine Sexlust ab, die nichts mit mir zu tun habe. Erst kürzlich erfuhr ich von einer Freundin, dass es bei den Engländern die Regel sei, im Urlaub fremdzugehen. Mir hat er dies nie erzählt. Auch erst später erfuhr ich, dass er im Falle einer Trennung, wieder nach Kolumbien zurückgekehrt wäre. Er hatte sich alle Hintertürchen offen gelassen...*

*Zur gleichen Zeit ließ er durchblicken, dass er große Probleme mit Realität und Phantasie habe. Die Zeit in der Karibik sei Realität gewesen, dafür habe er unsere Beziehung dort in der Ferne als Phantasie empfunden. Jetzt, wo er wieder da sei, wäre er wieder zurück in der Realität und wünsche sich, ich würde ihm verzeihen, und das Ganze als Seitensprung betrachten. Da ich weiter E-Mail-Kontakt mit seinem Freund in der Karibik hatte, der mir weitere unschöne Dinge über Rian erzählte, insbesondere auch, dass er sich wohl auch Drogen bedient hatte, erschien mir das Ganze als völlig unrealistisches Lügengebäude. Konfrontiert mit dieser Aussage, rastete Rian das erste mal aus, räumte einen Tisch leer, so dass alles, was sich darauf befand, kaputt ging. Ich war zutiefst erschrocken und er entschuldigte sich hinterher. Dass ich diesem Freund mehr vertraue als ihm, habe ihn ausrasten lassen. Der Freund habe ihm gedroht, unsere Beziehung auseinander zu bringen, weil er eifersüchtig, ein verzogenes Bürschchen und total lebensunfähig sei und eine kranke Persönlichkeit habe und der dazu andere nur für seine Zwecke benutze, lautete Rians Argumentation.*

*Rian setzte alle Hebel in Bewegung um seine Fehler wieder gutzumachen. Jedes zweite Wort war „unsere Zukunft" und „unser Leben". Verstärkt umwarb er mich wieder, organisierte romantische Touren mit Motorrad und Picknick, ein Bad bei Kerzenschein, Geschenke. Ich fraß es nur zu gerne. Schließlich entschlossen wir uns, den zuvor schon oft ausgemalten Plan, ein eigenes Haus zu erwerben, in die Tat umzusetzen. Wir machten uns auf die Suche.*

*Gerade, als wir ein renovierungsbedürftiges Haus gekauft hatten, wurde Rian gekündigt. Bei seinem früheren Arbeitgeber war einer der zwei Geschäftsführer ein Freund von Rian, der immer wieder beteuert hatte, man werde ihm eine Einsatzmöglichkeit schaffen, die körperlich nicht so anstrengend sei. Offensichtlich hatte sich der zweite Geschäftsführer, der Rian nicht leiden konnte, durchgesetzt. Man präsentierte ihm die Kündigung, mit der Begründung, er sei aufgrund seiner körperlichen Einschränkung, die er sich bei einem Arbeitsunfall in dieser Firma zugezogen hatte, im Betrieb nicht mehr einsetzbar. Im Beisein beider Geschäftsführer und der Mitinhaberin geriet Rian hierüber derart außer sich, dass er ein in der Nähe stehende Glas zerschlug und drohte, sich selbst zu verletzen. Er beschimpfte den Geschäftsführer, der zusammen mit der Mitinhaberin aus dem Raum floh. Ich hatte versucht, ihn zu beruhigen, wobei er sich von mir losriss und den Ärmel seines*

*Pullovers zerfetzte. Irgendwann sank er völlig apathisch zusammen und blickte ins Leere. Ich verfrachtete ihn ins Auto und fuhr los. Nach etwa 15 Minuten Fahrt, begann er, sich wieder zu rühren, sah seinen zerfetzten Pulli und fragte: „Wie ist das passiert?". Ich erzählte es ihm. Er bat mich, ihn zum Arzt zu bringen. Es war Freitagnachmittag, und so blieb uns nur das Krankenhaus.*

*Weil er immer noch völlig apathisch wirkte und zudem als selbstmordgefährdet eingestuft wurde, überwies man ihn in eine geschlossene Anstalt. Dort hielt er es eine Woche aus, dann kam er nach Hause. Die Tatsache seiner Kündigung lähmte ihn, er saß nur noch auf dem Sofa, völlig teilnahmslos, reagierte auf nichts und niemanden. Drei Tage später ging er freiwillig zurück in die Klinik. Er hielt es zuhause nicht aus. Schließlich brachte ihn das gekaufte Haus in die Realität zurück und mit Feuereifer machten wir uns an den Umbau. Er schuftete von frühmorgens bis spät in die Nacht, war hyperaktiv, leider auch hochexplosiv. Wenn etwas nicht so funktionierte oder nicht so schnell, wie er sich das dachte, rastete er aus, brüllte herum, schmiss Sachen durch die Gegend. Einmal fand ich ein Werkzeug nicht gleich und als er es fand, zog er mich an den Haaren und drückte es mir ins Gesicht.*

*Überhaupt fielen immer mehr hässliche und demütigende Worte, ich fand mich zusehends in immer aggressiveren und konfuseren Situationen wieder. Nichts war ihm gut genug, nichts schnell genug, alles verkehrt. Er nahm keinen Rat und keine Hilfe von anderen an, wusste alles besser, machte alles besser und wenn es nicht so klappte, wie er es sich vorstellte, waren immer andere Schuld, zunehmend auch ich.*

*Als die Zeit drängte und die alte Wohnung gestrichen und für den Umzug vorbereitet werden musste, schmiss er mir eine Schüssel mit kochendheißem Milchreis hinterher, die klirrend an der Wand zerschellte. „Sieh was du angerichtet hast", herrschte er mich an „sieh zu, dass du diesen Dreck wegräumst." Zwei Tage lang rastete er wegen jeder Kleinigkeit aus und kurz vor meinem 30. Geburtstag war ich nervlich am Ende. Eine Freundin war entsetzt und ich so verängstigt von seinen Wutausbrüchen, dass ich mich nicht nach Hause traute aus Angst, ich könne wieder etwas falsch machen und er deswegen ausrasten. Ich versteckte mich bei meiner Freundin. Er suchte mich auch dort, fand mich aber nicht.*

*Wutentbrannt, mit heulenden Motor und quietschenden Reifen jagte er auf seinem Motorrad davon. Meine geplante Geburtstagsfeier sagte ich ab und plante, einige Tage zu verschwinden, um durchzuatmen und klare Gedanken zu fassen. Trotzdem übermannte mich das Pflichtgefühl und ich ging nach Hause. Rian war ein Häufchen Elend und unter Tränen entschuldigte er sich, bat mich, ihn nie wieder alleine zu lassen, er habe den Stress zu sehr überhand nehmen lassen. An meinem Geburtstag fuhr er mit mir zu einer Brücke und sagte, er habe aus Wut und Enttäuschung mein Geburtstagsgeschenk in den Fluss geworfen.*

*Er strengte sich an in den folgenden Wochen, dann jedoch brach es wieder durch. Einmal war er vor Wut so außer sich, dass er als Beifahrer in voller Fahrt mit dem Fuß die Frontscheibe meines Autos zertrümmerte.*

*Mit gemischten Gefühlen zog ich in das Haus ein. So sehr hatte ich mir etwas Eigenes gewünscht, jetzt hatte ich es, aber zu welchem Preis? Immerhin wurde Rian nach dem Umzug wieder ruhiger und freute sich sehr, dass auf meine Veranlassung hin seine drei jüngeren Kinder zu Weihnachten aus England zu Besuch kamen. Für mich war es immer ein großes Erlebnis, das Haus voller Leben und Kinderlachen zu haben.*

*Im Laufe der Jahre schob Rian seine immer wiederkehrenden und heftiger werdenden Wutausbrüche seinem chronischen Schmerz zu, dann immer mehr mir. Er beschuldigte mich, ich würde ihn verarschen und mich mit anderen gegen ihn verschwören, ihm Böses wollen. Er nötigte mich in Situationen, in denen ich Dinge tat, die mir zutiefst zuwider waren. Bei einem Aufenthalt in einer Schmerzklinik wurde er zum ersten Mal nicht nur nach organischen Ursachen seiner chronischen Schmerzen beleuchtet. Nachdem er dort begleitend auch von einer Psychotherapeutin betreut wurde, kristallisierte sich sehr schnell heraus, dass die Schmerzen wohl größtenteils psychischer Ursache seien. Neben „Angst", „Impulskontrollverlust" und „Depression" tauchte zum ersten Mal der Begriff „Borderline" in einem Arztbericht auf.*

*Obwohl Rian von da an in psychotherapeutischer Behandlung war, änderte sich sein Verhalten nicht. Auch mein Durchforsten von Internet und Fachliteratur nach möglichen Hilfsansätzen meinerseits brachte keine Veränderung. In den letzten 15 Monaten vor der Trennung hatte ich Angst, nach Hause zu kommen, vor den Wochenenden und vor dem Urlaub. Regelmäßig Freitagnachmittag fand er eine Kleinigkeit, mit der er mich angreifen und fertig machen konnte. Ein Fleck in der Küche, eine Sache am falschen Platz, die falsche Haltung oder eine falsche Bewegung usw. Die Auseinandersetzungen liefen immer nach dem gleichen Muster: Ich machte angeblich etwas falsch, er beschuldigte mich, ihn zu verarschen. Dann verlangte er nach einer Erklärung dafür. Sagte ich etwas, waren es „bullshit" oder „excuses", wehrte ich mich und konterte, wurde er noch aggressiver, zerstörte, zerschlug oder zertrümmerte Sachen, schrie und brüllte. Sagte ich nichts, beschuldigte er mich, ich würde ihn ignorieren, mit ihm spielen. Als ich heulte, sagte er, ich hätte kein Recht dazu, mich als Opfer aufzuführen, er sei das Opfer und das hätte er nicht verdient. Wollte ich den Raum verlassen, lief er mir nach und hielt mich fest. Oft kam er mir vor wie ein Bluthund, der, wenn er erst einmal Blut gerochen hatte, nicht mehr aufhören konnte.*

*An einem Freitag, dem 13., waren wir beim Einkaufen. Unter den Einkäufen war ein Würfel Frischhefe. Rian hatte es eilig, heimzukommen und schnell verstauten wir die Einkäufe im Auto. Zu Hause begann ich auszuräumen und fand den Würfel Hefe nicht. Ich fragte Rian, ob er ihn eingesteckt habe. Er brüllte mich an, warum ich ihn verarsche, er wolle jetzt endlich eine Antwort darauf. Ich erklärte ihm, dass ich ihn nicht verarschen würde und nur den Würfel Hefe suche. Er baute sich direkt vor mir auf, Nase an Nase und schrie mir ins Gesicht. Dann zerschmetterte er die Clip-Box mit den Einkäufen darin auf dem Boden, zerrte mich an den Haaren durch die Küche, riss mich schließlich zu Boden und drückte mich in das von ihm verursachte Chaos. „Räum diesen Scheißdreck hier auf und mach endlich mal sauber, du verlogene, rachsüchtige Hexe." Das ganze Wochenende schwieg er, als er die Abschürfungen und blauen Flecken an meinen Armen sah, meinte er höhnisch: "Hat Spuren hinterlassen, was?".*

*Meine Therapeutin, die ich seit kurzem aufsuchte, riet mir dringend, seinen Therapeuten zu informieren, diese Aggressionsausbrüche gehörten in fachkundige Hände und dürften nicht weiter von mir toleriert werden. Es kostete mich große Überwindung, Rians Kontrolllosigkeit seinem Therapeuten zu berichten. Dieser zeigte sich erstaunt, ihm war nicht einmal bekannt, dass Rian überhaupt eine Freundin hatte. Ich versuchte, Rian dazu zu bewegen, sich ernsthaft Hilfe bei seinem Therapeuten zu holen und wollte ihn dabei unterstützen. Er wurde nur noch wütender. Als er herausfand, dass ich ihn „verpetzt" hatte, stellte er das als Riesen-Vertrauensbruch meinerseits dar. Ich hoffte, der Therapeut könnte auf ihn einwirken, bemerkte aber wenig davon. Die Wochenenden und die Feierabendzeit mit ihm blieben weiter hochexplosiv. Eines Samstagmorgens beim Frühstück fragte er mich wegen einer Sache, die wir abends zuvor besprochen hatten. Offensichtlich hatte er mich falsch verstanden und ich stellte dies sachlich klar. Es ging um einen Liedtext, etwas völlig Belangloses. Er rastete aus, weil ich alles immer verdrehen würde und ihn als Depp dastehen ließe. Ich erklärte ihm in ruhigem Ton, dass ich hier nur ein Missverständnis aufklären wolle, das ja nichts Wichtiges bedeute. Mir würde nichts etwas bedeuten, beschuldigte er mich, mir sei alles egal, ich würde ihn verarschen, .....dann lief wieder das alte Schema ab. Ich schwieg diesmal und er regte sich so darüber auf, dass er mir beim Hinausgehen einen Schlag aufs Auge versetzte. Dann verließ er den Raum. Ich hatte Mühe, mich zu sammeln, tat gleichgültig, räumte die Küche auf. Als ich in den Spiegel blickte, sah ich, dass das Auge geschwollen war und es brannte.*

*Ich ging einkaufen und irgendeinem letzten Stolzfunken folgend, suchte ich einen Arzt auf, um ihm unter einem Vorwand mein demoliertes Auge zu präsentieren. Ich wusste, ich konnte das nicht länger mitmachen, mir war aber nicht klar, ob und wie ich Rian verlassen konnte. Am nächsten Morgen leuchtete mein Auge blau und Rian verlangte erbost eine Erklärung dafür. Er schob, wie schon so oft, vor, er könne sich an nichts erinnern. Ich schminkte mein Auge und ging zur Arbeit. Ich schämte mich deswegen. Zwei Tage später* erkannte meine Therapeutin mit einem Blick was los war. „Was ist mit ihrem Auge?" Ich erzählte es ihr. Sie sagte, sie werde mich in einer Klinik anmelden, damit ich von Rian wegkomme. Sie habe als Therapeutin eine Fürsorgepflicht und wolle nicht in der Zeitung lesen, jemand habe ihre Patientin in einem Wutanfall umgebracht. Wenn ich nicht in die Klinik gehe, würde sie Rian bei der Polizei anzeigen. Sie unterstützte Einweisung und Aufnahme in die Klinik, ich besorgte den nötigen Papierkram. Vor Rian hielt ich es geheim, er hätte mich nicht gehen lassen. Nun wartete ich nur noch auf den Aufnahmetermin, der sich laut Aussage der Klinik jedoch noch hinauszögern könnte. Am folgenden Wochenende wagte ich, zu Rian zu sagen, dass ich es nicht länger mitmachen könne, dass er mich tätlich angreift. Mit erhobener, geballter Faust und hasserfülltem Gesicht drohte er mir, ich solle nie wieder behaupten, er würde mich schlagen, er würde nie jemanden schlagen, den er liebt. Fassungslos starrte mich Momente später mein blaues Auge im Spiegel an.

*Am 27. Mai 2004 verlies ich früh morgens das Haus, als ob ich zur Arbeit ginge. Ich bin in die Klinik gefahren, habe Rian aus dem Haus werfen lassen, ihn bei der Polizei angezeigt und ihm ein Kontaktverbot erteilen lassen. Auf Druck und mit Unterstützung meiner Familie hat er seine Sachen gepackt und ist zurück nach England gegangen. Seit ihm das Kontaktverbot auch in schriftlicher Form zugestellt wurde, lässt er mich in Ruhe.*

*Mein Alptraum ist vorbei.*

## Violas Trennungsverarbeitung

Der Entschluss, mich von Rian zu trennen, fiel erst in der Klinik und auch nicht sofort. Zunächst machte ich mir nur Sorgen, was aus ihm werden würde. Ich musste Schlimmstes befürchten, denn immer, wenn ich eine Trennung erwähnt hatte, drohte er mit Selbstmord oder Zerstörung.

Bis auf meine beste Freundin und meine Therapeutin wusste niemand von meinem „Untertauchen". Meiner Mutter hatte ich am Tag vor der Einweisung vorsichtshalber einen Brief geschrieben und ihr kurz erklärt, dass ich mich in nächster Zeit in einer Klinik befinde und sie sich keine Sorgen machen brauche. Ich wollte vermeiden, dass Rian auch meine Familie terrorisiert. Kurz bevor ich die Klinik erreichte, informierte ich auch Rians Therapeuten telefonisch. Rian hatte niemanden, an den er sich wenden konnte. Das machte mir die meisten Sorgen. Alles hätte passieren können: Selbstmord, Zerstörung des gemeinsamen Hauses, Amoklauf, Bedrohung mir nahe stehender Menschen. Ich konnte leider nichts ausschließen. Eigentlich wäre Rian es gewesen, der in eine Klinik gehört hätte.

In der Klinik hatte ich zunächst Probleme, über das Geschehene zu sprechen. Ich schämte mich. Als ich mich dann langsam meiner Therapeutin öffnen konnte, wurde mir die Ungeheuerlichkeit, wie mich Rian behandelt hatte, erst klar. Und das war erst der Anfang. Trotzdem hatte ich ununterbrochen das starke Bedürfnis, Rian zu kontaktieren. Dann wäre es, und das war mir nur allzu deutlich bewusst, mit meinen Trennungsabsichten vorbei gewesen. Vermutlich hätte er mich entweder mit Schuldzuweisungen oder irgendwelchen Entschuldigungen und Versprechungen ins Wanken gebracht. Das war zuvor so gewesen und es würde sich nicht ändern.

Seit langem war mir klar, dass nicht nur Rian von mir, sondern auch ich von ihm emotional abhängig war. Jeder Kontakt würde den Entschluss, dass nur eine Trennung übrig blieb, umwerfen. Es fiel mir schwer, loszulassen. Der Druck und die Angst, denen mich Rian über lange Zeit ausgesetzt hatte, fielen sehr zögerlich ab. Als das erste Wochenende in der Klinik kam, wurde mir bewusst, dass dies das erste Wochenende sein würde, an dem ich keine Angst vor den völlig ungerechtfertigten Tobsuchtsanfällen Rians haben brauchte. Obwohl ich eine gewisse Erleichterung deswegen empfand, hatte ich doch ein schlechtes Gewissen, weil ich ihn im Stich ließ. Von diesem Verantwortungsgefühl konnte ich mich lange nicht befreien. Um mein dringendes Verlangen, Rian irgendwie zu kontaktieren, zu befriedigen, schrieb ich unzählige Briefe an ihn, von denen ich keinen abschickte. Jeder der Briefe enthielt eine Rechtfertigung. Wie absurd das war, war mir durchaus klar, dennoch konnte ich mich erst in langen Gesprächen mit meiner Therapeutin und auch mit Mitpatienten davon befreien.

*Eine gewisse Wut auf Rian hätte mich in dieser Phase sicher weitergebracht. Aber ich verspürte keine. Höchstens gegen mich selber. Warum hatte ich das so lange mitgemacht? Warum war ich nicht früher aufgewacht? Auf was hatte ich denn noch gewartet? Eins war klar: So konnte und wollte ich nicht weiterleben. Und Rian würde nie freiwillig gehen, auch wenn er mich fast nur noch der Verarschung beschuldigte und mich übel beschimpfte.*

*Rian musste das Haus verlassen. Sicher hätte ich mich mit dieser Forderung gegen ihn alleine nicht durchsetzen können. Das hatte Rian in der Vergangenheit nur zu oft bewiesen. Glücklicherweise bot mir mein Bruder seine tatkräftige Unterstützung an. Schriftlich kündigte ich Rian den Mietvertrag mit sofortiger Wirkung und forderte ihn auf, das Haus unverzüglich zu verlassen. Mündlich hatte ihm dies mein Bruder schon mitgeteilt. Er suchte Rian kurz darauf im Haus auf, um der Forderung Nachdruck zu verleihen. Mein Bruder beschrieb ihn als ratlos, aber gefasst. Er wisse nicht, wo er hin solle. Ich bräuchte keine Angst vor ihm zu haben, er wolle mit mir sprechen. Mein Bruder blieb sachlich aber konsequent. Für mich erschien es auch für Rian das Beste zu sein, wenn er in sein Heimatland zurückkehrte. Hier hatte er außer mir niemanden und war außerstande, den zermürbenden Kampf mit Behörden und Leistungsträgern, den ich jahrelang für ihn geführt hatte, selbst in die Hand zu nehmen. In England waren seine Kinder, Eltern, Geschwister und Enkelkinder, die er sowieso immer sehr vermisst hatte. Mir konnte er gar nicht weit genug weg sein. Obwohl ich immer ein fröhlicher, lebensbejahender, zupackender Mensch gewesen war – jetzt war nicht mehr viel davon übrig. Ich bekam Panik, wenn ich ein Motorrad hörte, aus Angst, es könnte Rian sein, der mich suchte.*

*Auf Anraten und zu meiner Sicherheit legte ich mir in der Klinik einen Decknamen zu, lieh mir das Auto meines Bruders aus und sorgte dafür, dass ich immer Gesellschaft hatte. Meine Familie bot Rian an, den Transport nach England zu übernehmen, nur damit es schneller ginge. Rian wusste es wie immer besser und wollte sich selbst darum kümmern. Also fuhr er auf seinem Motorrad nach England, um zwei Wochen später mit einem Transporter und „schlagkräftiger Unterstützung" wiederzukommen. Meinen Bruder hatte ich beschworen, ihm ja nicht alleine gegenüberzutreten. Rian war unberechenbar und zu allem fähig. Also ging mein Schwager mit. Der Transporter, den Rian organisiert hatte, war viel zu klein. Er würde noch einmal kommen müssen, um den Rest seiner Sachen mitzunehmen. Ich hatte eine detaillierte Liste angefertigt, was Rian gehörte und was mir. Nach dieser Liste kontrollierte mein Bruder was Rian mitnehmen konnte. Als mir mein Bruder die Nachricht überbrachte, dass er nun weg sei, hätte ich eigentlich froh sein müssen.*

*Jedoch fiel ich erst einmal in ein tiefes Loch. Jetzt war er wirklich weg. Unwiderruflich. Am selben Abend sah ich am Himmel gleichzeitig zwei Regenbogen. Ich deutete es als gutes Omen, obwohl mir das Herz schwer war. Unterdessen macht mir mein Herz tatsächlich zu schaffen. Nachdem das routinemäßige EKG nicht in Ordnung war, musste ich zum Kardiologen, der eine Herzmuskelentzündung feststellte. Ich hatte davon nichts bemerkt.*

*Das Reden fiel mir leichter und ich spürte die Erleichterung, die damit kam. Was hatte ich alles geschluckt und wie sehr mich für Rian isoliert. Allerdings musste ich mir die Rechtfertigung für den Rausschmiss Rians immer noch von Therapeuten, Mitpatienten, Freunden, Bekannten und der Familie holen. Es tat unglaublich weh, mich nicht „normal" mit einer Aussprache und einem Abschied von ihm trennen zu können. Rian hatte nicht versucht, mich ausfindig zu machen. Aber er hatte begonnen, mir Briefe in die Klinik zu schreiben, die über Nachsendeauftrag ankamen. Und jeder von den Briefen schlug buchstäblich ein wie eine Bombe, erschütterte mich zutiefst und aufs Neue. Jeder Brief war Zeugnis seiner obskuren Widersprüchlichkeit. Fing er den Brief mit Entschuldigungen oder Liebesbeschwörungen an, so endete er mit Vorwürfen und Bedrohungen und umgekehrt. Er spulte die ganze Bandbreite seiner gestörten Persönlichkeit sehr eindrucksvoll ab. Ich wiederum war unfähig, einen einzigen dieser Briefe ungeöffnet oder ungelesen zu lassen. Jeder löste ein neues Erdbeben in mir aus, meilenweit von so etwas wie Distanz entfernt. Glücklicherweise waren stets Menschen um mich herum, denen ich mich anvertrauen konnte. So wurde ich aufgefangen und fühlte mich wie auf einer sicheren Insel.*

*Natürlich gab ich nicht nur Rian Schuld an seinem Verhalten. Obwohl ich schon viel über Borderline wusste, wollte und will ich nicht nur damit Rians Verhalten rechtfertigen. Es gehören immer zwei zu einer Partnerschaft und offensichtlich stimmte ja auch mit mir etwas nicht, wenn ich mir so ein Verhalten so lange gefallen ließ. Rian hatte Grenze über Grenze überschritten und ich hatte nichts dagegen getan. In der Klinik lernte ich neben Selbstverteidigung auch Wahrnehmung als Therapiethema. Ich erfuhr unglaublich viel über meine Grenzen, die Grenzen anderer und wie meine Grenzen in der Zeit mit Rian von mir selbst ignoriert und überschätzt und von Rian immer wieder und immer heftiger überschritten und niedergetrampelt wurden. Mit meinem Schweigen habe ich sein aggressives Verhalten gerechtfertigt und unterstützt. Auch wenn es mir heute noch manchmal schwer fällt, über das Geschehene zu sprechen, merke ich doch die immense Erleichterung, die damit verbunden ist.*

*Langsam fand ich mein Lachen wieder, obwohl ich auch viel weinte. Erst gegen Ende meines siebenwöchigen Klinikaufenthalts war ich soweit, so etwas wie Wut gegen Rian aufzubringen. Das ging mit einem unheimlich positiven Energieschub für mich einher. Jetzt konnte ich nicht nur über die furchtbaren Sachen, die er mir angetan hatte, reden, ich hatte sogar ein starkes Bedürfnis danach. Ich rechtfertigte nicht mehr, ich stellte klar und ich brauchte mich nicht deswegen zu schämen. Ich würde und wollte mich selber schützen und auf mich selber achten. Bei einer Familienfeier wurde ich von (bis dahin nicht eingeweihten) Bekannten nach Rian gefragt. Ganz nüchtern stellte ich klar, dass er in*

*England sei und auf die Frage, wann er wiederkomme, konnte ich erleichtert sagen: „Hoffentlich nie wieder."*

*Meine anfängliche Panik, allein in das verlassene Haus zurückzukehren, überwand ich mit zuerst mit Begleitung, später dann mit viel Ablenkung. Die Option, auszuziehen, ließ ich mir lange offen, aber nach einigem Umräumen und Umdekorieren fühlte ich mich endlich zu Hause und wohl. Den Kontakt zu bestehenden Freunden intensivierte ich, begann dann auch, neue Kontakte zu knüpfen. Das Thema Borderline ließ mich nicht los, ich besuchte Internet-Foren, aus denen ich mir schon vorher Informationen und Rat geholt hatte und fand darüber Anschluss an eine Selbsthilfe-Gruppe für Borderline-Angehörige. Der Austausch mit „Mitleidenden" tat mir unheimlich gut. Wenn sich die Geschichten auch unterschieden, es gab doch viele Gemeinsamkeiten.*

*Meine Gefühlswelt spielte sich in Phasen ab, die in der Zeit nach der Klinik noch unheimlich schwankten. Es wechselten Trauer, Vermissen, Hadern und Zweifel mit Ausgelassenheit und Tatendrang. Dass mich Rians Aggressivität verändert hatte, merkte ich an den flashbacks, die mich einholten: Auf einem Gartenfest mit Freunden begann ein betrunkener Partygast, laut zu werden und zu pöbeln. Es hatte nichts mit mir zu tun, aber die aggressiven Szenarien mit Rian kamen in mir hoch und verursachten die gleiche Reaktion: Ich machte mich klein, wurde starr vor Angst und fiel in einen buchstäblich atemberaubenden, inneren Aufruhr. Ich floh und rettete mich in eine ruhige Ecke, um erst einmal durchzuatmen.*

*In der U-Bahn griff ein Vater seinen etwa vierjährigen Sohn an, viel zu laut und zu heftig und ich konnte die Angst des Kindes spüren, wie es stumm und starr dasaß, mit vor Angst aufgerissenen Augen. Der Vater in seiner unbeherrschten, aufbrausenden Art kam mir vor wie Rian und aufgrund der Reaktion des Kleinen war ich mir sicher, dass ihn dieser Vater auch schlagen würde. Mein Herz, mein Atem rasten und erst als ich die U-Bahn verlassen hatte, konnte ich mich wieder beruhigen.*

*Auch jetzt kamen die Phasen der Wut gegen Rian nur zögerlich. Er hatte einen letzten Brief geschrieben, in dem er mich bat, mich zu melden (ich hatte Telefonnummern und Mail-Adressen geändert). Weiter betonte er, wie sehr er mich liebe und wie einzigartig unsere Liebe doch gewesen sei. Er hätte sein Herz für ewig auf mich gesetzt und würde mich für immer vermissen. Natürlich berührte mich auch dieser Brief noch immer sehr stark, doch immerhin durchschaute ich seinen Trick, mich wie zu Anfang der Beziehung wieder über die poetische und romantische Seite zu „ködern". Daneben ging es im ganzen Brief nur um ihn selbst. Der Schock, mich gerade vor dem Menschen schützen zu müssen, der behauptete, mich zu lieben, saß und sitzt tief. Es brach mir im wahrsten Sinne des Wortes das Herz, als ich zur Polizei ging, um ihn anzuzeigen. Doch das war die einzige Sprache, die er verstand. Er hatte weder auf mein Bitten, mein gutes Zureden, meine Tränen, noch auf meine Fluchtversuche reagiert. Das Wissen, dass er an einer Persönlichkeitsstörung leidet, mag für ihn eine gute Ausrede sein. Natürlich handelt er unter Druck oder gar Zwang. Aber er weiß sehr wohl, was er anrichtet, wie er Menschen, die es gut mit ihm meinen, manipuliert und zerstört. Und gerade das macht mich wütend. Er benutzt seine Krankheit als Ausrede für seine Attacken. Manchmal hatte er mir erzählt, wie er Menschen, die nicht so funktionierten, wie er es wollte, fertig gemacht hatte. Mit einem unschuldigen Lächeln entschuldigte er sich: „Du weißt ja, ich bin verrückt. Jeder Psychotherapeut kann das bestätigen, es ist schriftlich festgehalten."*

*Er glaubt, er habe das Recht dazu, andere derart zu behandeln. Ganz sicher bin ich mir inzwischen auch, dass er mit den Gemeinheiten, mit denen er mich betitelte, in Wahrheit sich selbst meinte. Vor allem, dass ich ihn „verarschen" würde, aber auch dass ich eine rachsüchtige Lügnerin sei. Wenn ich seine aggressiven Ausbrüche bei Ämtern oder anderen Stellen zu beruhigen versuchte, stellte er mich hinterher als Mitglied einer Verschwörung gegen ihn dar. Keiner und niemand konnte es ihm recht machen, wohingegen er selbst sich für ein Genie hielt. Seine Menschenverachtung ist bezeichnend, er urteilt über Menschen, ohne sie näher zu kennen, schiebt jeden in eine abwertende Klischeeschublade ab. Er ist unberechenbar. Beim letzten Besuch präsentierte ihm mein Bruder eine Verfügung, dass er sich mir nicht mehr nähern dürfe und Hausverbot habe. Zusammen mit seinem „Schlägerfreund", den er aus England mitgebracht hatte, rastete er aus. Zum ersten Mal zeigte er diese Seite auch einem Mitglied meiner Familie, bei der er vorher immer als „Mr. Niceguy" aufgetreten war. Mein Bruder und mein Schwager waren beide fassungslos und betonten, so etwas hätten sie noch nie erlebt.*

*Trotz der am Schluss extrem ausgeprägten schwarzen Seite konnte ich auch Rians weiße, liebevolle Seite nicht vergessen. Heute weiß ich, dass keine dieser Seiten wirklich ist und ich Rian nie wirklich gekannt habe. Werte wie Liebe, Menschlichkeit, Treue oder Aufrichtigkeit werden je nach Bedarf benutzt und ausgeschlachtet. Wohl weil Rian sie nie gelernt oder erfahren hat. Er schreibt und redet viel von Liebe, sagte auch oft „ich liebe dich". Für ihn bedeutet Liebe jedoch etwas völlig anderes. Es hat mit Zerstörung, Verletzung, Angst und Missbrauch zu tun, eben so, wie er es wohl als Kind und Jugendlicher gelernt und erfahren hat.*

*Weil ich sein Spiel nicht mehr mitmache, bezeichnet er mich als stur. Tief innen beneidet er andere um diese Werte, die für ihn abstrakte, nie selbst erfahrene Konstrukte sind. Er versucht, diese Konstrukte bei seinen Mitmenschen zu finden, indem er ihnen Positives zuschreibt. Allerdings scheint ihn seine Vergangenheit immer wieder einzuholen und dann bestraft er die, die Werte kennen, dafür, dass sie Halt darin finden, so meine persönliche Theorie. Inzwischen empfinde ich es immer wieder als kleines Wunder, keine Angst vor dem*

*Nachhausekommen mehr zu haben, freue mich geradezu diebisch darüber, dass mir niemand mehr die Hölle heiß macht, weil in der Küche ein Krümel liegt oder ein Gegenstand nicht dort, wo er hingehört.*

*Von Rian habe ich seit seinem letzten Brief nichts mehr gehört und bin froh darum. Ich kann mir kaum vorstellen, dass er zu der Einsicht kommt, mit ihm würde etwas nicht stimmen, geschweige denn, sich dann helfen zu lassen. Wahrscheinlicher ist, dass er sich ein neues „Opfer" sucht und nach dem gleichen Schema vorgeht wie zuvor. Ich bin froh, damit nichts mehr zu tun zu haben und genieße es, das zu machen, was mir gut tut, ohne dafür verurteilt und zur Rechenschaft gezogen zu werden.*

*Mein tiefster und inniger Dank an alle, die mich in der dunklen Zeit aufgefangen und mitgetragen haben, insbesondere meine Familie, meine Therapeutin und meine Freunde.*

*„I did love you, and I'm not sorry*
*For what you did to me*
*you had No Right*
*and No Reason*
*Leaving you*
*was my only way out.*
*And I'm not sorry"*

## Sonjas Liebe – die weiße Seite

*Bobek lebte in einem alten, grünen Zirkuswohnwagen, der mit anderen Zirkuswagen auf einem Gelände in München stand. Ich ging täglich daran vorbei und die Wagen übten immer eine große Faszination auf mich aus, aber ich traute mich nie, die Menschen, die ich dort sah, anzusprechen. An einem warmen Sommertag, als ich mich mit anderen Leuten in der Nähe der Wagen aufhielt, traf mich Bobeks Blick das erste Mal. Es durchfuhr mich bis ins Mark. Sein glühender und doch gleichzeitig zurückhaltend interessierter Blick ließ mich innerlich beben. Er hatte etwas Zigeunerhaftes und Abenteuerliches. Die anderen, die mit mir unterwegs waren, kamen mit ihm ins Gespräch. Wenig später hatte er die ganze Runde, einschließlich mir, zu sich in den Wagen eingeladen, drückte jedem ein Glas Wein in die Hand und forderte alle auf, sich in der Enge einen Platz zu suchen.*

*An diesem Abend ignorierte er mich scheinbar, aber nicht in Wirklichkeit, denn ich spürte immer wieder seine interessierten Blicke, die er mir zuwarf, während die ganze Gesellschaft sich immer angeregter unterhielt. Diese Zurückhaltung gefiel mir sofort. Ich hatte das starke Bedürfnis ihm zu sagen, dass er wie ich sei. Ich konnte es mir selbst damals nicht erklären, ich wollte es ihm einfach sagen. An diesem Abend redeten wir kaum miteinander. Es folgten noch einige weitere Besuche bei dem alten Zirkuswagen. Es waren immer wieder Leute dort, die Türe von Bobek stand anscheinend jedem offen. Es wurde immer gelacht, gefeiert und getanzt, ich amüsierte mich prächtig und genoss nach wie vor die zurückhaltenden Blicke von Bobek. Eines Abends tanzte Bobek ganz alleine auf der Terrasse seines Wagens zu lauter Musik. Ich ging zu ihm hinauf, tanzte mit und ich weiß nicht mehr wie es passiert ist, aber auf einmal küssten wir uns leidenschaftlich. Es war ein Feuerwerk, das sich innerlich in mir entzündete. Ich wollte ihn nicht mehr loslassen und er mich auch nicht. Wir küssten uns weiter den ganzen restlichen Abend, stundenlang, ohne die anderen Leute um uns herum zu bemerken. Ich spürte eine Klarheit zwischen uns. Wir waren uns beide einig, ohne es ausgesprochen zu haben. Es war klar, dass wir uns wollen, mit Haut und Haar, mit allen Konsequenzen, für immer. Nichts war mehr wichtig, nur noch wir beide, die Welt drehte sich nur um uns, ausschließlich. Eigentlich existierte die Welt um uns herum gar nicht mehr. So etwas hatte ich vorher noch nie erlebt und gefühlt.*

*Dazu kam noch, dass wir feststellten, dass wir uns in der Vergangenheit schon öfter gleichzeitig an den gleichen Orten aufgehalten haben. Sogar in dem Land aus dem er kam, hatte ich in dem Dorf, in dem er seine Kindheit verbrachte, ein Haus gekauft und wir waren wiederholt zeitgleich an diesem Ort, ohne uns je zu treffen. Es gab auch noch andere Orte an denen wir in der Vergangenheit gleichzeitig waren, auch ohne uns zu begegnen. Das konnte kein Zufall sein. Es war Schicksal!*

*Eine Woche später ist er bei mir eingezogen. Ich war überglücklich. Ich war im 7. Himmel. Er überschüttete mich mit Liebe, mit Aufmerksamkeit, mit Anerkennung. Bobek war unheimlich hilfsbereit, putzte die Wohnung, wusch mein Auto, ging Einkaufen, sah immer, wenn irgendwo irgendetwas nicht stimmte und war dann sofort zur Stelle. Ob es etwas zu reparieren gab oder ich ein Problem hatte, er war für mich da. Diese unschlagbare Hilfsbereitschaft brachte er auch meinem Umfeld entgegen. Meine Leute waren schwer beeindruckt von diesem tollen Mann. Gerne sagte er den Satz: „Eine Hand wäscht die andere." Auch meine Mutter schloss Bobek gleich ins Herz, er begegnete ihr mit einem entzückenden Charme, dem wohl keine Schwiegermutter widerstehen könnte. Er zeigte auch ganz offen vor anderen, wie er mich liebte und verehrte. Mit kleinen und mit großen Gesten. Dies erfüllte mich mit Stolz und ich fühlte mich sehr sicher bei ihm. Mein Umfeld beglückwünschte mich zu diesem tollen Fang. „Ja, wir sehen, dass Bobek dich liebt und für dich da ist und du liebst ihn auch, es ist ein Glücksfall". 4 Monate später waren wir verheiratet.*

*Es gab Tage, da haben wir einfach getanzt, ob zu Hause oder in einer Diskothek. Ich tanzte gerne und wild. Er war der erste Mann in meinem Leben, dem ich beim Tanzen in die Augen schauen konnte. Und wir tanzten immer stürmisch, einmal so wild, dass sich in einer Diskothek die Tanzfläche nach und nach fast leerte und wir die Stars waren. Zu Hause tanzten wir zu leidenschaftlicher Zigeunermusik und ich spürte bei ihm eine Energie, die ich nicht kannte, ich ließ mich einfach mitreißen. Ich war seine Frau, seine Zigeunerfrau, nichts war wichtig, außer das Leben leidenschaftlich zu leben, alles rauszuholen, nur wir beide im Universum. Ich fühlte mich so eins mit ihm, dass ich oft dachte, ich könnte alles stehen und liegen lassen und mit ihm einfach weggehen, irgendwohin, ganz egal wohin, Hauptsache wir wären zusammen. Er war mir genug, ich brauchte nichts außer ihm.*

*Er war eine gelungene Mischung aus Mann, Vater und Kind. Mit seinem schönen Körper setzte er seine männliche Kraft energiereich ein. War zur Stelle, wenn es ums Anpacken ging. Mit seiner väterlichen Seite, die ich sehr schätzte, da ich ohne Vater aufgewachsen bin, setzte er sich auch bei anderen für mich ein. Ich fühlte mich aufgehoben. Niemand durfte etwas gegen mich sagen oder tun. Wenn er dann Kind war, konnte ich für ihn sorgen, erwidern, was er mir gab. Er zeigte dann seine ganz verletzliche Seite, wie das bei Männern eher sehr ungewöhnlich ist. Ich habe ihn dann in den Arm genommen und ihn gestärkt. Ihn unterstützt, wo ich nur konnte. Es war ein unheimlich erbauendes Gefühl, für ihn da zu sein. Es ihm zurückgeben können, was er für mich tat. Für ihn uneingeschränkt da sein, so wie er das auch für mich war. So etwas hatte ich noch nie erlebt. Jemand der bedingungslos für mich da ist, wenn ich ihn brauchte. Einmal war ich auf einer Messe 400 km von München entfernt, hatte Streit mit meiner dortigen Arbeitgeberin und hätte mit ihr im gleichen Auto noch am selben Abend heimfahren müssen. Ich erzählte ihm am Telefon davon. Er stieg sofort ins Auto und holte mich ab, ohne mit der Wimper zu zucken. Ich hatte das Gefühl, dass wir niemanden mehr brauchten. Wir hatten uns und wir konnten gegenseitig für uns sorgen, wenn der eine den anderen brauchte. Noch nie hatte ein Mann ansatzweise so viel für mich getan wie er.*

*Wenn wir mit dem Auto fuhren, haben wir uns an jeder, wirklich jeder Ampel lange und eingehend geküsst und mit Sicherheit öfter einmal einen Intervall verpasst. Erstaunlicherweise hat, mit einer Ausnahme, nie jemand hinter uns gehupt. Er erfüllte jedes meiner Bedürfnisse, besonders nach Körperkontakt, der mir sehr wichtig ist. Wir berührten uns fast ständig. Wenn wir schliefen, dann waren wir jede Nacht eng aneinander geschmiegt. Die Nähe ging soweit, dass ich auch schlecht schlief, wenn er schlecht geschlafen hatte, auch wenn er es nicht durch körperliche Bewegungen zeigte. Es war einfach eine tiefe Verbindung zwischen uns.*

*Bobek war ein sehr lustiger Mensch und konnte andere und mich zum Lachen bringen. Es gibt wenige Menschen, die das bei mir können. Wir hatten überhaupt sehr viel Spaß miteinander. Einmal drehten wir einfach so aus Spaß eine sehr skurrile Videodokumentation mit anschließendem Kurzspielfilm. Ich muss heute noch lachen, wenn ich ihn anschaue und über den Spaß nachdenke, den wir dabei hatten.*

*Besonders gefiel mir seine Klugheit. Obwohl er eigentlich eher ungebildet war, besaß er mehr Intelligenz als mancher Akademiker. Und er war sehr offen für neue Dinge. Für alles, das ich ihm erzählte und ihm neu war, zeigte er großes Interesse und hatte einen geistreichen Gedanken dazu. Er begann, meine Art der Sprache anzunehmen, obwohl er Ausländer war, hatte er sprachlich ein ganz spezielles Gespür. Mir ist Sprache und Kommunikation, auch zwischen den Zeilen, sehr wichtig und er hatte genau „meine" Sprache erkannt und übernommen. Das gab mir das Gefühl, dass wir uns sehr gut verstehen, im wahrsten Sinne des Wortes. Ich erzählte ihm alles, gab alles, was ich wusste. Ich fühlte mich sehr beachtet und freute mich darüber, wie er die neuen Dinge in sein Leben integrierte. Er wurde mehr und mehr ich.*

*Sogar der Alltag war herausragend. Wenn ich von der Arbeit heimkam, hatte er mir Kaffee und Kuchen gemacht oder mein Lieblingsessen beim Asiaten geholt. Wenn ich mich in meiner Tageskleidung auf die Couch setzte, sagte er immer, mit teilweise gebrochenem Deutsch, das ich inzwischen liebte: „Mach dich bequem, zieh deine Sachen aus und was Angenehmes an". Wenn ich kochte, freute er sich riesig und sagte zu mir, wie gut er es bei mir habe und dass er es in seinem Leben noch nie so gut gehabt hätte. Die Anerkennung, die er mir gab, wenn ich etwas für ihn tat, hatte ich noch von keinem Menschen in diesem Ausmaß bekommen. Bobek war einfach perfekt. Der Alltag war geprägt von Besonderheiten, zwar kleinen, dennoch von besonderer Geborgenheit geprägten, es stimmte einfach immer. Ob wir ferngesehen haben und es uns dazu gemütlich machten und zusammen auf der Couch kuschelten oder mit dem Hund spazieren waren und uns angeregt unterhielten. Ich fühlte mich geborgen wie noch nie. Und wir haben alles, aber auch wirklich alles zusammen gemacht. Wir waren unzertrennlich.*

*„Ich liebe dich so so sehr." Das sagte er mir immer wieder. Er überschüttete mich mit Liebesschwüren. Er hat mir die schönsten Liebesbriefe geschrieben. Oder kleine Kärtchen mit anerkennenden Worten, die ich fand, wenn ich nach Hause kam, manchmal mit einem Blumenstrauß. Auch hat er Rosenblätter auf das Bett drapiert und dazu ein Schreiben gelegt. Als ich einmal später abends kam, hatte er den Weg von der Wohnungstüre bis zum Schlafzimmer mit vielen kleinen Kerzen geschmückt und als ich ins Schlafzimmer kam, war dort ein Kerzenmeer und er empfing mich mit offenen Armen.*

*Sein alter Zirkuswagen musste nach einiger Zeit vom bisherigen Standplatz weg und wir fanden durch eine Anzeige einen traumhaften Platz mitten im Wald an einem Weiher, der uns zur alleinigen Nutzung zur Verfügung stand. Dort ließen wir den Wagen hinziehen und verbrachten dann fast jedes Wochenende im Wald. Es war eine wunderbare Zeit. Wir lebten dort wie Zigeuner, kochten Kaffee und Essen mit Wasser aus dem Weiher, indem wir uns auch badeten, sammelten Holz und machten abends Feuer bis in die späte Nacht. Dann schliefen wir im Wagen aneinandergekuschelt unter dem Rauschen der Bäume und dem Plätschern des Weiherzulaufes ein.*

*Oft dachte ich darüber nach, dass es nicht sein konnte, dass ich einen Mann bekommen hatte, der so perfekt und scheinbar wie für mich gemacht war. Er gab mir Geborgenheit, Sicherheit, Liebe, Anerkennung, er fütterte meinen Geist, er konnte zärtlich sein, sehr männlich sein, aber auch seine weibliche Seite zeigen. Er beschützte mich, tat alles für mich, las mir die Wünsche von den Augen ab, war lustig, optimistisch, sah gut aus, war hilfsbereit, hatte einen ergreifenden Charme, ein mitfühlendes Wesen, mochte Kinder und Tiere, konnte Komplimente machen. Er nahm mich wie ich war, bestärkte mich sogar noch darin und er konnte meine Liebe nehmen, wie es noch nie jemand zuvor konnte.*

## Sonjas Liebe – die schwarze Seite

*Am zweiten Abend unseres Zusammenseins fing er einen an den Haaren herbeigezogenen Streit an und wurde aggressiv. Als ich zu meinem Auto gehen wollte, hielt er mich erst an den Armen fest und dann die Türe meines Wagens zu. Als Passanten kamen, schubste ich ihn schnell weg und fuhr davon. Ich hatte nicht wirklich Angst vor ihm, aber ich fühlte mich meiner Freiheit beraubt.*

*Im Laufe der Zeit, in der wir zusammen waren, brachte er vermehrt zum Ausdruck, dass es ihm nicht passte, wenn ich mich mit anderen Leuten traf. Auch sah ich seinen unglücklichen Blick, wenn ich mit meiner Tochter telefonierte, oft stellte er sich dabei neben mich und sah mir zu, sodass ich nicht mehr das Gefühl hatte, entspannt und frei reden zu können. So stellte ich den Kontakt zu den meisten meiner Freunde und Bekannten ein und reduzierte die Telefonate mit meiner Tochter auf ein Minimum.*

*Bobek verbot mir, unsere Probleme mit Freunden zu besprechen: „Wir können alles selbst lösen, da musst du nicht rumquatschen, damit gibst du den Leuten nur was zum Reden." Überhaupt waren für ihn alle Menschen um uns herum potenziell gegen uns. Er erhielt Briefe, in denen ihm gedroht wurde, mich in Ruhe zu lassen. Er zeigte sie mir und ich machte mir große Sorgen, wer aus meinem Freundes- oder Bekanntenkreis so etwas schreiben würde, ich wurde misstrauisch. Später gab er zu, diese Briefe selbst geschrieben zu haben. Er selbst hatte eigentlich keine Freunde, außer Leute, die er spontan anrief, wenn er sie aus irgendeinem Grund brauchte. So lebten wir beide immer zurückgezogener.*

*Durch Umstände, die er wahrscheinlich selbst inszeniert hatte (was ich erst später erfuhr), verlor er gleich am Anfang unserer Beziehung seine Arbeit. Daraufhin finanzierte ich ihn. Besonders viel Geld kosteten mich die ganzen Anwalts- und Gerichtssachen, die er aus der Vergangenheit mitgebracht hatte und die Beschaffung von Dokumenten, die wir für unsere Hochzeit brauchten. Das war für ihn meist alles selbstverständlich. Er betrachtete meine Sachen als seine, es gab auch hier keine Grenzen mehr. Es sah so aus, als ob er sich das Recht über alle Dinge nahm, besonders das Recht, sie zu zerstören.*

*Als einmal meine Tochter, die im Ausland lebte, zu Besuch kam, mich bat, Zeit mit ihr alleine zu verbringen und wir gemeinsam auf ein Fest gehen wollten, sperrte er sich und mich ins Bad ein. Erst nach tätlichem Gerangel und als meine Tochter von draußen energisch drohte, öffnete er die Badtür und wir „flüchteten" auf die Straße ins Auto. Woraufhin er beim fahrenden Wagen noch die Türe aufriss und hineinsprang. Überhaupt artete es jedes Mal in ein Drama aus, wenn ich alleine irgendwohin gehen wollte oder musste. Auch wenn ich mit ihm vorher darüber ausführlich gesprochen hatte und er beteuerte, es gänzlich zulassen zu können. Als ich einmal nicht zu Hause war, fand ihn unsere Untermieterin vollkommen alkoholisiert auf dem Boden liegend und mit einem Feuerzeug auf den Parkettboden einhackend.*

*Das Muster verlief immer gleich. Er brach einen meist absurden Streit vom Zaun, in dem er normalen Argumenten nicht mehr zugänglich war. Ich wollte die Wohnung verlassen, er sperrte mich ein, hielt meine Handtasche fest oder nahm mir den Hausschlüssel weg. Wenn ich es doch schaffte, wegzugehen und wieder nach Hause kam, konnte ich mir einer Steigerung des Psychoterrors sicher sein. Dabei warf er alle möglichen Sachen um sich, besonders gerne Handys und Telefone, fegte mit der Hand den Tisch mit Abendessen leer oder urinierte provokativ vor mir in die Küche auf den Boden. Wollte ich nach einem Streit telefonieren, riss er mir grundsätzlich den Hörer aus der Hand.*

*Typisch war Telefonterror auf meinem Handy oder bei mir in der Arbeit. Dabei war es keine Seltenheit, dass er mich bis zu 80-mal im Büro anrief und mich wüst beschimpfte. Es gab kein Entrinnen, weder gute, noch strenge, noch diplomatische Worte konnten ihn beruhigen. Legte ich den Hörer daneben, rief er in unserer Telefonzentrale an und die dortige Mitarbeiterin wurde auch schon mir gegenüber nervös. Bei diesem Telefonterror waren Drohungen und Bedrohungen an der Tagesordnung, wie etwa, dass er in meine Arbeit kommen, alles zertrümmern und auf den Empfangstisch scheißen, die Wohnung oder mich zusammenschlagen oder das Haus anzünden würde.*

*Während eines Streits bei einer Autofahrt auf der Landstraße versuchte er, den Zündschlüssel bei fahrendem Wagen abzuziehen. Während dieser Fahrt, die etwa 6 Stunden dauerte, erlebte ich die schlimmsten Stunden meines Lebens. Er brüllte mir immer wieder während des Fahrens auf der Autobahn direkt ins Ohr, dass ich zu schnell fahren würde oder beschimpfte mich mit aus der Luft gegriffenen Dingen. Auf dieser Fahrt hatte ich wirklich Angst um unser beider Leben. Wenn ich diese Geschichte erzähle, werde ich grundsätzlich gefragt, warum ich nicht die Polizei eingeschaltet habe. Mir war immer klar, dass wenn ich einmal gezwungen sein sollte, die Öffentlichkeit zu bitten, mich vor meiner persönlichen Beziehung zu schützen, vor dem Menschen, der mir gefühlsmäßig am nächsten ist, dann kann dies keine wahre Beziehung mehr sein und es wird für mich zu Ende sein.*

*Als ich ihn einmal während einer manischen Phase ins Krankenhaus brachte, um ihm Beruhigungsmittel geben zu lassen, war er dort plötzlich verschwunden. Als ich dann durch die Einfahrt der Notaufnahme hinausfahren wollte, war er plötzlich wieder da, schlug wie ein Irrer mit dem Fuß gegen die hintere Stoßstange und legte sich dann blitzschnell mitten auf die Windschutzscheibe meines Wagens. So war ich gezwungen, die Einfahrt der Notaufnahme zu blockieren. Passanten versammelten sich und binnen kürzester Zeit waren 4 Streifenwagen aus allen Himmelsrichtungen mit Blaulicht zur Stelle. Wie ein*

Schwerverbrecher wurde er sofort mit Waffengewalt an die Wand gestellt. Dieses Szenario hält mich heute noch traumatisch fest.

Nach einem aggressiven Ausbruch kam häufig eine depressive Phase. Während dieser legte er sich gerne auf den Boden, auch wenn es auf der Straße war. Dabei stellte er sich tot. Obwohl ich im Laufe der Zeit diesem Verhalten öfter ausgesetzt war und eigentlich wusste, dass ihm nichts fehlen konnte, machte ich mir dann nach einiger Zeit doch immer Sorgen. Er spielte diese Rolle so perfekt, dass ich alles mit ihm machen konnte und er trotzdem leblos da lag. Eine andere Variante der depressiven Phase war, dass er sich selbst total abwertete.

Hier hatte ich manchmal den Eindruck, dass er im Prinzip ganz genau weiß, was er anrichtet. Er war dann relativ klar und sah die Zerstörung, die er verursacht hatte. Wir redeten Stunden/Tage über Möglichkeiten, dass alles wieder gut wird. Heute weiß ich, dass er nicht anders konnte und vielleicht nie anders können wird, weil das Gefühl ihn einfach überrollt. Manchmal versank er auch in ein Meer von Selbstmitleid und weinte, wie ein störrisches kleines Kind. Dieses Verhalten war mir jedoch etwas suspekt und es sah wie eine kleine Show aus.

Seine Ansichten und Ideen waren stetigen Wechseln unterworfen: Einmal sagte er bezogen auf ein neues Berufsziel, es würde bei ihm nicht mal für einen Straßenkehrer reichen und Deutschland sei daran schuld und auf der anderen Seite war er überzeugt davon, ein verkannter Filmstar zu sein. Menschen, die er kurz vorher in den Himmel gehoben hatte, waren plötzlich der letzte Dreck und wollten uns/ihn nur reinlegen.

Letztendlich begann mit einem erneuten Ausbruch mit großen Demolierungen die Situation in unserer Beziehung zu eskalieren. Zuerst trat er die Flucht an und war dann tagelang verschwunden. Ich fuhr ins Ausland, um meinen Kopf und meine aufgewühlten Gefühle wieder klar zu kriegen. Als er mitbekam, dass ich weggefahren war, drehte er so durch, dass er sich selbst in die Psychiatrie einlieferte, weil er Angst vor sich selbst bekam. Dort blieb er eine Woche und wurde dann mit der Diagnose Impulskontrollstörung entlassen. Bei einem weiteren Neurologenbesuch wurde diese Störung bestätigt und bei einem einmaligen Therapeutenbesuch die Diagnose Borderline in Erwägung gezogen.

Wenige Zeit danach wurde er wieder gewalttätig und ich holte die Polizei, die ihm einen Platzverweis erteilte und ihn aus der Wohnung brachte. Kurze Zeit später klingelte er Sturm und trat anschließend die Türe ein. Daraufhin verwies ihn die Polizei wieder der Wohnung und ich erwirkte Tage später eine gerichtliche Verfügung über einen Platzverweis und ein Näherungsverbot. Es folgte noch Telefonterror, der sich aber nach einigen Tagen legte.

*Eine Weile später lag ein Abschiedsbrief von Bobek in meinem Briefkasten. Hier schrieb er mir, dass er gerade an einem sonnigen, ruhigen Platz sitzen würde und er jetzt mit Schmerzen gehen müsste und ich mit Schmerzen bleiben müsste.*

*...Und er hatte Recht...*

## Sonjas Trennungsverarbeitung

*Am Abend des Tages, an dem mein Mann Bobek mit Polizeigewalt von mir getrennt wurde und ein Freund die eingeschlagene Türe provisorisch gerichtet hatte, saß ich zu Hause allein auf meiner Couch. Die Welt war für mich zusammengebrochen. Ich spürte weder mich, noch was um mich herum war. In mir war eine Leere, wie ich sie nie zuvor in meinem Leben gefühlt hatte.*

*Die Stille hatte auch etwas Erlösendes, endlich Ruhe, kein Psychoterror mehr, kein Drama. Im Laufe der nächsten Tage füllte sich die Leere vermehrt mit dem Gefühl der Erlösung, dass nun endlich der Horror ein Ende hatte, obwohl dieses Gefühl gemischt mit der Angst davor war, dass Bobek wieder auf die Idee kommen würde, mich weiter zu quälen.*

*In den nächsten Wochen merkte ich erst richtig, wie meine Nerven total blank gelegen hatten. Ich war extrem gereizt, fing plötzlich an zu weinen, wenn mich jemand auf Bobek ansprach und sah die Welt als eine einzige Bedrohung. Ich aß kaum noch, nahm in kurzer Zeit fast 10 Kilo ab, achtete aber darauf, dass ich wenigstens Gesundes zu mir nahm. Ich betäubte mich jeden Abend mit Wein, da ich mich überwinden musste, mich in das Bett zu legen, indem wir beide geschlafen hatten. Ich stellte mein Wohnzimmer so um, dass ich total eingeigelt war, abgeschnitten vom Rest der Welt. Ich arbeitete wie ein Tier, nahm mehrere Nebenjobs an, um die Schulden aus der Zeit mit Bobek abzuzahlen und um mir und meinem Schmerz nicht ausgesetzt zu sein. Ich fühlte im wahrsten Sinne des Wortes den Boden nicht mehr unter meinen Füßen. Das ging so weit, dass man mich darauf ansprach, warum ich wie auf Eiern ginge. Tatsächlich hatte ich beim Gehen das Gefühl, dass ich jederzeit hinfallen könnte. Ich war selbst erschrocken über mich, wie ich immer im Affekt zurückzuckte, wenn mich ein männlicher Freund berührte, sei es auch nur am Arm, eine freundschaftliche Umarmung konnte ich überhaupt nicht ertragen.*

*Ich verbrachte Stunden in Borderline-Internetforen, ich verschlang Unmengen an Lektüre zu diesem Thema. Die Frage kreiste immer wieder um das Wort „Warum". Warum wurde ich so schlecht behandelt? Warum habe ich das alles zugelassen? Warum kann nicht alles wieder gut werden? Warum habe ich nicht mehr getan? Warum kann ich nicht aufhören, mich mit Borderline zu befassen? Ich hasste mich bald selbst dafür, dass ich von diesem Thema nicht lassen konnte. Ich wollte einfach nur weiterleben, neue Ziele entwickeln, in die Zukunft schauen und das Alte zurücklassen. Aber immer wieder holte mich das Thema ein.*

*Ich schrieb am Computer Tagebuch darüber, ich nannte es Schmerztagebuch. Darin schrieb ich Briefe an Bobek, wie es mir ginge. Dabei weinte ich Eimer voller Tränen, manchmal schüttelte es mich derart, dass es Nervenzusammenbrüchen glich. Ich distanzierte mich in der Arbeit von meinen Kollegen, da ich oft mit vom Weinen derart verschwollenen Augen ins Büro kam, dass ich mich schämte. Scham wurde überhaupt vermehrt zum Thema für mich. Ich schämte mich dafür, so etwas zugelassen zu haben, meine Familie und meine Freunde im Stich gelassen zu haben, als Frau einen Mann finanziell ausgehalten zu haben, ausgelacht zu werden, über meinen großen Schmerz wegen einem Menschen, bei dem ich doch eigentlich froh sein müsste, ihn los zu sein. Ich merkte, dass mit mir selbst etwas nicht stimmen konnte, als ich nach der Trennung einmal den Impuls verspürte, meinem Mann einen Anwalt zu besorgen und zu bezahlen. Und zwar gegen mich selbst.*

*Ich bemühte mich, unter Leute zu gehen, damit ich nicht vollends vereinsamte, aber die Menschen waren ganz weit weg. Auch wenn ich mich mit ihnen unterhielt, konnte ich sie nicht fühlen. Es war wie in einem Vakuum. Zwischendurch erlebte ich doch einmal einen schönen Abend mit anderen und ich fühlte mich ein bisschen happy. Als ich dann jedoch nach Hause fuhr und das Tiefgaragentor passierte, war alles wie weggeblasen. Ich hatte das Gefühl, dass ich mir den schönen Abend nur eingebildet hatte und meine wahre Realität ausschließlich Schmerz sei. In Momenten, in denen ich zwischendurch wegen eines äußeren Umstandes Freude oder Glück empfand, überkam mich sofort das hässliche Gefühl, dass es für mich keine Gefühle des Glücks mehr geben könne.*

*Dieser Zustand hielt Monate an und wechselte sich nur mit Phasen überschwänglichem Tatendrangs oder völliger Hoffnungslosigkeit ab. Ich hatte das Gefühl, dass der Schmerz nie aufhören würde. Ich hatte in meinem Leben schon Trennungen verarbeitet, das ging in ein paar Wochen, schlimmstenfalls wenigen Monaten vorbei und wurde vor allem kontinuierlich leichter. Aber hier hörte und hörte es nicht auf. Hatte ich das Gefühl, dass es nun wieder etwas bergauf ginge, fiel ich schon wieder in das nächste Loch. Ich hatte keinerlei Kontrolle darüber.*

*Ich stellte auch fest, dass mir nichts wirklich mehr etwas bedeutete. Früher waren Freundschaft, Loyalität, Liebe, Unterstützung und Anerkennung wichtige Werte für mich, nun verkamen sie zu reinen Worthülsen. Ich konnte die Worte zwar erklären, aber die Werte nicht fühlen, sie hatten keine Bedeutung mehr für mich. Insgesamt fühlte ich mich wie eine seelisch Schwerstverletzte. Ich konnte zwar noch funktionieren in der Welt, meine Arbeit tun, aber innerlich war ich vollkommen zerfallen.*

*Irgendwann hörte ich auf, nach irgendwelchen Rezepten zu suchen, die mir den Trennungsschmerz nehmen konnten. Ich hatte Therapie gemacht, mir viel von der Seele geschrieben, mich unter Menschen gezwungen, mich ausführlich über Borderline informiert, mich im positiven Denken geübt, war ein halbes Jahr in einer intensiven Borderline-Angehörigen-Selbsthilfe-Gruppe, hatte an meinem Aussehen gearbeitet, vermehrt Sport gemacht, eine neue Beziehung versucht und mich in Arbeit gestürzt. Alles hat mir sicher geholfen und war auch wichtig für die Verarbeitung, aber ich denke, dass letztendlich die Zeit es gewesen ist, die meine Wunden geheilt hat.*

*Auch wenn ich jetzt, 1 ½ Jahre\* nach der Trennung sagen kann, über den Berg zu sein, so merke ich doch, dass ein Teil von mir sich unwiederbringlich verabschiedet hat. Verloren gegangen ist ein Stück kindliches Gefühl, eine heitere Naivität, die mich früher leichter durchs Leben führte, und auch ein großer Teil meines beinahe grenzenlosen Optimismus. Meine emotionale Reaktionsschwelle ist gesunken, ich bemerke, dass mich manchmal „irrationale Borderline-Gefühle" überkommen, bei denen ich eine ebenso irrationale Reaktion darauf nur mit Mühe in Schach halten kann. Das kannte ich vor meiner Beziehung nicht.*

*Auf der anderen Seite habe ich auch sehr viel dazu gewonnen. Meine Persönlichkeit ist enorm gereift, ich sehe die Menschen jetzt anders, vielleicht mit mehr Verständnis und tiefer in ihrer Seele, aber auch mit mehr Vorsicht. Ich kann meine Gefühle und die von anderen, wesentlich besser „anschauen", ohne darauf zu reagieren. Ich lasse mich nicht mehr so leicht von Freundschaftsdiensten oder Höflichkeiten „einwickeln". Ich fühle mich dann immer gehalten, dahinter zu sehen. Ich habe gelernt, was es bedeutet, sich bewusst von Menschen oder Situationen zu distanzieren, wenn ich das möchte. Borderline hat mich gelehrt, dass es nichts absolut Gutes, Böses oder Erlösendes gibt.*

*Eines weiß ich jedoch gewiss: Es wird nie wieder so sein wie früher.*

\* nach der 1. Auflage dieses Buche; weiterführendes zu dieser aktuellen Auflage nach 3 Jahren Trennung siehe Nachwort

**Berts Liebe mit Maja**

*Kennen gelernt habe ich Maja in einer Münchner Disko. Zuerst sind mir ihre Beine aufgefallen. Ich habe sie beim Tanzen beobachtet und war von ihren geschmeidigen Bewegungen angetan. Irgendwie war das für mich sehr stimmig.Heimlich habe ich mich dann über sie erkundigt. Wer sie ist, wie sie heißt, wo sie wohnt. Was ich so in Erfahrung bringen konnte, hat mich dann ermutigt, sie anzusprechen. Na ja, nicht alles hat mich ermutigt. Ich hätte besser zuhören können. Der Pächter der Disko sagte damals zu mir, dass sie ziemlich Pech mit ihren früheren Freunden und Partnern hatte. Doch das hat mich eigentlich eher noch ermutigt. Irgendwie habe ich es dann geschafft sie anzusprechen und Maja reagierte aufgeschlossen.*

*Als ich Sie dann persönlich kennen gelernt hatte, erzählte sie mir folgende Geschichte: „Ich bin Maja, 28 Jahre alt, in Norddeutschland geboren, meine Eltern sind wegen des Jobs nach München gezogen, als ich circa 3 Jahre alt war. Aufgewachsen bin ich dann im Süden von München. Meine Kindheit war nicht sehr schön, denn meine Eltern sind beide Alkoholiker. Scheiden haben sie sich lassen als ich 15 war. Ich bin mit Hilfe vom Jugendamt ins Schwesternwohnheim gezogen und bekam eine Lehrstelle als Krankenschwester in einem Münchner Krankenhaus. In meiner Schulzeit hatte ich den Spitznamen 50 Kilogramm und 5 Gramm. Damit war mein Körpergewicht gemeint und dass ich täglich 5 Gramm Drogen brauche. Meine Eltern haben sich immer gestritten und geprügelt. Mein Vater hat seine Saufkumpanen mitgebracht und sie haben dann im Wohnzimmer weiter gesoffen. Manchmal haben sie mich angemacht. Mein Vater sagte immer, ich sei ein Flittchen. Ich wollte ihn sogar mal im Schlaf ermorden. Ich bin mit einem Messer bis zu seinem Bett und wollte zustechen, doch im letzten Moment ist er aufgewacht. Gekümmert hat sich nie jemand um mich. Ich war immer alleine. Alleine nach der Schule, alleine nach der Arbeit. Freunde und Partner hatte ich schon viele, doch bisher war nicht der Richtige dabei. Vielleicht wäre ich ja der Richtige. Im Bett stehe ich eben nicht auf diese Blümchennummer, ich habe es auch gerne mal härter, und ich mag auch ungewöhnliche Dinge, so trage ich zum Beispiel gerne Liebeskugeln, aber ich stehe auch auf Dessous. Ich suche einfach nur Spaß, ohne sofort großartige Verpflichtungen eingehen zu müssen. Ein Mann, der mir alles gibt, was ich will und umgekehrt (gemeint „Was ich denn gerne mögen würde?")... Ich mache nahezu alles mit, aber das Wichtigste ist, dass ich sehe, dass du wirklich Spaß mit mir haben kannst und Feuer in deinen Augen hast."Tja, so offen hatte bisher noch nie eine Frau mit mir gesprochen, denn ich bin im Internat eines christlichen Ordens zur Schule gegangen und Frauen oder Mädchen waren sehr selten bei uns zu Gast. Wir sahen höchstens zu besonderen Anlässen Nonnen. Na ja, so ganz stimmt es nicht. Aus dem Dorf, haben wir manchmal Mädchen zu uns eingeladen. Das kam jedoch sehr selten vor, da wir dadurch die männliche Dorfjugend provozierten.*

*Wie dem auch sei, ich habe mich in Maja verliebt. Das, was sie gesagt hat, hat sie zu 150% umgesetzt. Sie hat Sex ausgelebt und mich mit Ihren Künsten in ein Abhängigkeitsverhältnis gebracht. Ich war so verliebt in Maja, dass ich nicht mitbekommen habe, was sie für Spielchen mit mir trieb.Anfangs wollte oder besser konnte ich es nicht sehen. Doch der Reihe nach. Zuerst ist mir aufgefallen, dass sie nicht ausgehen wollte. Nicht einmal Essen wollte sie mit mir gehen. Sie meinte dann immer, dass sie sich nicht so gut fühlen würde, sie diesen oder jenen nicht sehen möchte und so weiter. Wenn ich dann mal alleine weg gehen wollte, z. B. mal auf ein Bier in die Kneipe, dann begann sie mit ihren Programmen:*

*Angefangen hat es damit, dass sie mit blutiger Nase – Nasenbluten vortäuschend – zu mir kam und in den Arm genommen werden wollte. Anfangs habe ich wirklich geglaubt dass sie leicht Nasenbluten bekommt - durch Kalziummangel oder ähnliches. Als wir etwa 4 Monate zusammen waren, habe ich sie dann das erste Mal dabei beobachtet, wie sie sich ihren Kopf immer und immer wieder gegen die Wand schlug bis sie blutete.*

*Auf mein Zureden hin, sie solle doch aufhören, hat sie nur noch heftiger weitergemacht. Wie eine Wahnsinnige. Als ich den Arzt holen wollte, ist sie nur noch mehr ausgetickt. Wenn ich sie daran hindern wollte und sie von der Wand weggezogen habe, wurde es noch schlimmer. Ja, es hat sich im Laufe der Zeit soweit gesteigert, dass ich sah, wie sie sich mit einem Messer selbst geschnitten hat. Nicht an Körperstellen die sofort auffallen, nein, versteckte Stellen an den Beinen und Füßen, dort jedoch mit einer großen Wirkung. Mit Wirkung meine ich, dass diese Wunden sehr stark geblutet haben. Als ich vorschlug, dass Sie zu einem Psychologen gehen sollte, um sich einer Therapie zu unterziehen, drohte sie mit Selbstmord. Ich konnte mir nicht mehr helfen. Ich war mit der Situation total überfordert. Ich stellte mir die Frage, wie und auf welche Weise ich am besten helfen könnte. Anfangs meinte ich, mich einfach mehr um sie kümmern zu müssen, also dass ich früher von der Arbeit nach Hause zu ihr fahre und auch das ganze Wochenende mit ihr verbringen sollte. Wir wohnten getrennt. Sie außerhalb von München und ich im Zentrum. So bin ich jeden Tag zuerst von der Arbeit zu mir nach Hause, habe meine Post gemacht und bin umgehend zu ihr weitergefahren. Immer mitten durch München. Immer Stau und Hektik, meistens im Feierabendverkehr. Wer in München wohnt oder die Situation kennt, weiß wie es ist, für 20 km Luftlinie 2 Stunden zu brauchen.*

*So nach und nach habe ich auch meine Konzentrationsfähigkeit verloren, wurde immer müder und weniger belastbar in meiner Arbeit. Das ging so weit, dass mich Kunden angerufen haben und ich weder wusste, um was es sich handelt, noch wie ich helfen kann. So etwas kann sich in meinem Beruf sehr verhängnisvoll auswirken. Wer in einem Beruf arbeitet, bei dem man sehr viel Verantwortung trägt, weiß wovon ich rede. Auf alle Fälle hatte ich eine Doppelbelastung und konnte nicht mehr unterscheiden, wo ich meinen Fokus habe.*

*Schließlich vernachlässigte ich meine Freunde, meine Eltern und meine Kollegen. Auf Anfragen was denn mit mir los sei, habe ich meist ausweichend geantwortet, wie mit, nein, alles in Ordnung, alles okay, oder es geht schon. Belastend dazu kamen dann noch ihre Spielchen. Sie konnte und wollte sich auch nicht helfen lassen und in ihrer Verzweiflung, so nehme ich an, hat sie diese immer und immer wieder wiederholt, als wollte sie mir etwas beweisen.*

*Als sie mal wieder die Türe nicht öffnete, was öfter geschah, wenn sie sich selbst verstümmelt hatte, bin ich zum Hausmeister gegangen, weil ich mir große Sorgen um sie machte. Ich erklärte ihm die Situation, dass ich gerade von der Arbeit, jedoch nicht in die Wohnung käme, da mir Maja nicht aufmacht. Jedoch könne ich deutlich hören, dass sie Zuhause sei. So bat ich ihn, mit mir zur Wohnungstür zu gehen und zu versuchen, ob sie vielleicht aufmacht. Ihm hat sie schließlich nach langem Zureden geöffnet. Dann stand sie da, mit blutender Nase und blutverschmierten Händen. Ich im Hintergrund. Der Hausmeister meinte zu mir, ich solle aufhören, sie zu schlagen. Wem wird er wohl geglaubt haben??*

*Dieses Spiel hat sie öfter mit mir gemacht - und immer heftiger.*

*Ja, heute gebe ich zu, dass ich mich immer wieder aufs Neue einwickeln habe lassen: von Sex, von ihrer sehr unterhaltsamen Art, ihrer übergroßen Aufmerksamkeit. Ich bin nicht mehr unter die Leute gegangen und habe meinen Selbstschutz fast aufgegeben. Für mich war die Zeit, die ich mit Maja verbrachte und der Sex mit ihr einfach zu faszinierend. So außergewöhnlich, dass ich es auch heute noch immer nicht richtig beschreiben kann. Es war diese Natürlichkeit, mit der sie mich immer und immer wieder verführt hat. Wenn man noch nie von einer Frau so verwöhnt wurde, so etwas nur aus Filmen kennt und plötzlich selbst im Mittelpunkt steht, dann kann man das wohl nicht verstehen.*

*So langsam geriet ich in eine Abhängigkeit, in einen Teufelskreis meiner Gefühle und meiner Welt. Maja war auch immer sehr aufmerksam. Fast könnte ich sagen, dass sie das Gras hat wachsen hören, wenn ich Stress in der Arbeit hatte. Sie hat mich dann umsorgt und bemuttert. Immer war sie um mich rum. Doch wehe, ich habe etwas eigenständig unternehmen wollen. Wehe, es entsprach nicht ihrer Vorstellung. Dann fing es wieder an. Wieder diese Selbstverstümmelung.*

*Ein anderes Beispiel: Im Sommer 2002 waren wir mit den Motorrädern im Schwarzwald unterwegs. Mir gelang es, sie zu diesem Trip zu überreden. Meine Argumente waren, dass* wir mal einen Tapetenwechsel nötig hätten und dass sie keine Angst zu haben brauche, im Schwarzwald jemanden zu treffen, den sie kennt. Die ersten beiden Tage waren sehr schön und wir beide konnten die Landschaft ausgiebig genießen. Wir fanden ein sehr schönes, zwar etwas abseits gelegenes, doch romantisches Hotel. Jedoch hatte ich am dritten Tag einen Sturz mit dem Motorrad, da ich einem Kind, das auf die Strasse gesprungen ist, ausgewichen bin.

Dank meiner Schutzkleidung sind mir Brüche oder schwerere Verletzungen erspart geblieben, doch hatte ich Prellungen, Schürfwunden und eine leichte Gehirnerschütterung. Die Motorrad-Verkleidung war jedoch kaputt und ich konnte so nicht mehr weiterfahren. Nachdem die Polizei den Unfall aufgenommen hatte, stieg Maja auf ihr Mottorad und fuhr einfach weiter. Als Begründung gab sie an, dass sie so selten raus käme und den schönen Tag lieber noch mit Fahren verbringen wolle, als mich zu bemitleiden. Gesagt und getan. Weg war sie, ohne sich auch nur einmal umzudrehen.

Mit Hilfe des ADACs ließ ich mein Motorrad nach München zurückbringen. Ich selbst habe mir ein Auto gemietet und bin zurück zum Hotel gefahren. Sie war nicht da. Nach vielen Stunden, ich glaube es war weit nach Mitternacht, kam Maja dann. Ohne ein einziges Wort ging sie duschen und ins Bett. Am nächsten Tag fuhr sie, immer noch ohne ein Wort zu sagen nach Hause. Sie meinte dann doch noch am Schluss, dass sie schneller wäre und es keinen Sinn mache, auf mich im Auto zu warten.

Eine weitere Eigenart, die mir erst im Laufe der Zeit aufgefallen ist, war ihr Talent im Verdrehen von Tatsachen. Sie drehte einem förmlich das Wort im Munde herum. Das ging soweit, dass ich mich bis heute nicht wehren kann gegen ihre „Argumente".

Einmal hatte ich einen Zeckenbiss, ich war zu Hause und mir ist schlecht geworden. Daraufhin habe ich mich ins Krankenhaus bringen lassen. Ich konnte sie telefonisch nicht erreichen. So hatte ich vier Tage keinen Kontakt mit ihr. In dieser Zeit hat sie mich mit einem anderen Mann betrogen. Als ich wieder Zu Hause war und durch Zufall davon erfahren hatte, hat sie es heruntergespielt mit der Begründung, dass ich mich nicht gemeldet habe und sie meinte, unsere Beziehung wäre vorbei. Sonst nichts. Übrigens war ich selbst Zeuge wie der Mann, mit dem sie mich betrogen hat, unzählige Male bei ihr angerufen hat. Alles vergeblich. Sie hat es einfach eiskalt ignoriert, mir und ihm gegenüber. Heute weiß ich, dass sie mich öfter betrogen hatte

Ich möchte ein weiteres Beispiel für ihre Spielchen nennen. Wir hatten ausgemacht, gemeinsam mit dem Motorrad in den Urlaub zu fahren. Soweit so gut. Der Punkt war, dass sie eine Woche früher als ich Urlaubsbeginn hatte. So wollte sie mit einer Bekannten vorfahren. Als Treffpunkt war ein bestimmter Wallfahrtsort in Spanien vereinbart. Also bin *ich eine Woche später morgens losgefahren. Kontakt über das Handy hatten wir nicht, denn Maja ging nie gerne ans Telefon. Sie sagte immer, dass sie in der Arbeit so viel telefonieren muss und das zu Hause und im Urlaub nicht auch noch will. Da ist eine telefonfreie Zone. Ich habe das immer respektiert und meinte, es auch zu verstehen.*

*Doch wie dem auch sei, ich habe trotzdem am Vorabend versucht, auf ihrem Handy anzurufen und wollte wissen, wo sie denn ist. Mittlerweile war ich an der französisch-spanischen Grenze angekommen. Wie durch ein Wunder ging sie ans Handy und gab mir zur Antwort, dass sie sich anders entschlossen hätte und wäre nach Süditalien gefahren. Ich bin aus allen Wolken gefallen. Auf meine Frage hin, warum sie mir nichts gesagt hat von ihrem Entschluss, gab sie mir zur Antwort, dass ich ja auch hätte anrufen können. Meinen Hinweis, dass sie vorher meinte, sie möchte Urlaub haben und nicht telefonieren, hat sie vollkommen ignoriert. Ich könne ja nachfahren, wenn ich was von ihr wolle.*

*Gut, ich bin ihr gefolgt und war dann überglücklich, sie wieder in den Arm nehmen zu können. Es war einfach unbeschreiblich, welchen Sex ich mit ihr hatte. Kurz und gut, dieser Urlaub blieb nicht ohne Folgen und Maja wurde schwanger. Gesagt hat sie mir das in etwa so: „Ich habe einen Test gemacht und der sagt, ich bin schwanger." Danach ging es so richtig ab. Während der gesamten Schwangerschaft habe ich sie an 17 Tagen gesehen. Übernachtet habe ich an 2 Nächten bei ihr. Ansonsten war sie immer weg, hat die aberwitzigsten Ausreden gebracht, um mich nicht treffen zu müssen.*

*Ich meinte, dass das so wäre, weil eine Schwangere ihre eigenen Vorstellungen hat. Doch bereits da hat es begonnen, dass sie mich von unserem Kind trennen wollte. Gesagt hat sie, dass sie jetzt einen Menschen habe, der nur ihr gehört. Ohne Widerrede. Während der Schwangerschaft sagte sie, sie müsse das Kind vor mir schützen. Ich habe nie verstanden, was sie damit meinte. Bei der Geburt durfte ich trotzdem dabei sein, ohne zu wissen warum. Später meinte sie, dass ich damit meine Schuldigkeit getan hätte. Jetzt bräuchte ich nur noch zahlen. Genau daran hält sie sich.*

*Unser Kind wurde mit einer recht schweren Krankheit geboren. Es hatte so genannte Atemaussetzer oder auch Anpassungsschwierigkeiten. So genau konnte man das nicht lokalisieren. Auf alle Fälle war es in der besten Kinderklinik der Stadt und wurde rund um die Uhr überwacht. Maja bekam auf großes Drängen meinerseits ein Mutter-Kind-Zimmer, sodass sie die ganze Zeit über bei unserem Kind bleiben konnte. Ich musste viel arbeiten und danach bin ich ins Krankenhaus gefahren, um mir selbst ein Bild über den Gesundheitszustand zu machen. Bis ich eines Tages, circa 3 Wochen nach der Geburt, eine richterliche Anordnung in meinem Briefkasten fand, dass ich mich von Maja und unserem Kind fernzuhalten hätte. Als Begründung wurde angegeben, dass meine Anwesenheit sich negativ auf die Gesundheit meines Kindes auswirken und ich zudem negativen Einfluss nehmen würde. Somit wurde ich jedes Mal abgewiesen, wenn ich im Krankenhaus das Kind sehen wollte. Ohne Nachfrage und Widerrede. Erst auf dem Klagewege konnte ich das Gericht davon überzeugen, dass der Sachverhalt ein anderer sei.*

*Da ich sie danach nicht mehr erreichen konnte, bat ich Maja durch einen Kontakt über ihre Mutter tausendmal mir wenigstens wöchentlich Bescheid zugeben, wie es dem Kind geht. Welche Entwicklung er mache, wie es ihm gesundheitlich ginge, welche Fortschritte zu beobachten wären. Doch Fehlanzeige. Trotz Zusage, keine Anrufe, stattdessen sollte ich aufhören Telefonterror zu betreiben. Dies schrieb mir ihr Anwalt, obwohl ich seit ihrem Umzug weder eine Festnetznummer noch Adresse hatte. Zwar kannte ich ihre Mobilnummer, doch das Handy war die ganze Zeit ausgeschaltet und Nachrichten, die ich auf das Band gesprochen hatte, wurden ignoriert.*

*Ich habe seit der Geburt trotz des Gerichtsbeschlusses „Recht auf Umgang" (dies bedeutet einmal die Woche Besuchsrecht) unseren Sohn, der jetzt 1 Jahr alt ist, genau viermal sehen dürfen. Gemeldet ist Maja bei ihrer Mutter und ihrem Stiefvater, die beide in einer Zweizimmer-Wohnung leben. Das Jugendamt wollte das Kinderzimmer sehen, in dem unser Kind schläft und wohnt und wie es ihm geht, doch mussten wir feststellen, dass Maja nicht dort wohnte, wo sie polizeilich gemeldet ist. Ich kann sie nicht erreichen.*

*Wie es weitergeht? Ich weiß es nicht, doch empfinde ich mittlerweile nur noch Mitleid mit ihr. Ich selbst bin nur sehr langsam aus meinem Traum erwacht, den ich versucht hatte mit Maja zu leben. Am Anfang musste ich lernen, zuerst die Situation so anzunehmen wie sie sich im Moment darstellt. Ich betone den Moment, denn alles ist im Fluss, nichts ist im Ruhezustand.*

*Ich darf mich jetzt in Geduld üben und versuchen, mich in die Situation von Maja hineinzuversetzen. Maja ist in Ihrer Seele so schwer verletzt, dass sie versucht, ihre Verletzungen auf andere zu projizieren. Meistens gelingt ihr das auch. Ich bin das beste Beispiel. Ich habe bereitwillig mitgemacht und meine Augen verschlossen vor den mir dargebotenen Tatsachen. Meine Ausrede war, dass ich Maja liebe. Das Drehbuch von ihr könnte lauten, dass sie der letzte Dreck sei, oder aber: Keiner liebt mich.*
*Ja, lieben tue ich Maja immer noch, als Mutter des Kindes. Ich bin ihr sehr dankbar und ich wünsche ihr von Herzen alles, alles Liebe und Gute. Heute, morgen und in der Zukunft. Meine nächsten Ziele werden sein, dass ich um mein Kind kämpfen und meine Verantwortung als Vater übernehmen werde. Ich selbst bin dankbar, dass ich eine neue Frau kennen und lieben gelernt habe, die mir sehr dabei hilft, meinen Schmerz, der tief in mir sitzt, zu lösen.*

**Lukas Geschichte mit Maurin**

*Es war an einem Samstagnachmittag als ich Maurin von unserer gemeinsamen ehrenamtlichen Arbeit beim Deutschen Roten Kreuz mitgenommen habe. Sie war super gut drauf, lachte viel und genoss mit mir die Sonne. Ich schob eine CD von Laith Al-Deen rein, spielte „Dein Lied" an und sie flippte im positiven Sinne völlig aus. Die Fenster von meinem Twingo waren offen, der warme Wind wehte uns um die Nase und ich genoss ihre leichte Art, zu leben.*

*Sie hatte mich gebeten, sie zu einer nahe gelegenen Gaststätte zu bringen, da ihr Vater dort auf sie wartete. Wir lachten viel auf dieser kurzen Fahrt und alberten rum. Ich verliebte mich in sie. Ich wollte sie wieder sehen und da wir beide im Katastrophenschutz des DRK tätig waren, war dies auch keine Schwierigkeit für mich. Weil ich für die DRK-Internetseite viele Bilder machte, konnte ich auch immer ein paar von ihr machen. Ich liebte ihr Lachen, ihr Grinsen und ihre Verrücktheit. Sie hatte Power, sie hatte Energie, ja Lebensenergie und doch bald sollte ich Maurin von einer anderen Seite kennen lernen.*

*Es war eine Sanitätsübung mit Fallbeispielen, bei der Maurin viele kleine, aber entscheidende Fehler gemacht hatte. Ich hatte sie darauf vorsichtig hingewiesen und irgendwas ist in ihr passiert, denn Maurin kippte um und bekam einen, ich würde sagen, Nervenzusammenbruch. Fünf Helfer und Kollegen versuchten, sie wieder auf die Beine zu bringen, nichts half. Ich legte ihr ein Kühlpack auf die Stirn, sprach mit ihr und streichelte mit meiner Hand über ihren Kopf. Ich gebe zu, ich genoss es, so nah bei ihr zu sein und sie beruhigte sich ein wenig. Sie rief ihren Vater an, der wollte sie nicht abholen. Ins Landeskrankenhaus wollte Maurin auch nicht und nach langem Zureden habe ich sie mit einer Freundin nach Hause gebracht. Ihr Vater war noch nicht da. Ihre Freundin brachte sie rein, ich blieb im Auto. Maurin brachte etwas zu trinken und bedankte sich bei mir, dass ich sie heimgefahren habe. Sie lebte bei Ihrem Vater, der wie die Mutter Arzt ist. Die Eltern waren seit ein paar Jahren geschieden. Maurin flog regelmäßig bei ihrer Mutter raus, sie soll Maurin ständig verprügelt haben. Auch kam Maurin mit 13 ins Internat und dort mit Alkohol und Marihuana in Berührung. Sie hatte mir davon erzählt, wie sie sich eine Zigarette auf der Zunge ausgedrückt oder sich regelmäßig mit dem Feuerzeug „Brandings" gemacht hat. Ich habe leider damals den Hintergrund nicht verstanden.*

*Na ja, zurück zu meiner Eroberung. Ich habe Maurin dann öfter nach Hause gebracht. Mal zu ihrer Mutter und dann wieder zu ihrem Vater. Sie erzählte mir, dass Sie „Fanta" liebt. Ich hatte eine CD von „Fanta" und überlegte, wie ich ihr eine „zweite" zukommen lassen könnte. Ich brannte schließlich eine zweite CD, rief sie an und sagte „Du wolltest doch ... na wann kann ich sie dir mal vorbei bringen?" An einem Samstag sollte es dann sein. Gesagt, getan. Ich war dann bei ihrem Vater, brachte ihr die CD vorbei und trank einen*

Kaffee. Ich weiß nicht mehr, worüber wir uns unterhalten haben, aber ich fühlte mich gut. Ich liebte ihre Füße, sie lief barfuss über den Boden und ich bewunderte sie, auch wenn ich keinen Fußfetisch habe. Wir kamen nach einer kurzen Zeit auf den Seeburger See zu sprechen, den ich noch nicht kannte. Wir hatten dann die Idee, dort einen Sonntagsspaziergang zu machen und ich freute mich schon auf den nächsten Tag mit ihr.

Ich holte sie am Sonntag ab, es war schwülwarm und ich total nervös. Wir liefen eine lange, große Runde. Letztendlich landeten wir am Steg, wo sie mir aus ihrem Leben, von ihrer Mutter und ihrem Vater erzählte und dass es dann noch einen Julian P. geben würde. Oh je, da bröselte mein Herz in sich zusammen. Aber ich ließ mich scheinbar davon nicht beeindrucken. Einige Tage später rief ich sie an, ob ich sie kurz besuchten könnte, mir sei langweilig. Es war für sie kein Problem und ich fuhr nach Ebenhausen. Ich holte sie vor der Tür ab und wir gingen lange durchs Dorf. Ich entschloss mich, sie an diesem Abend zu küssen, Händchen hielten wir schon. Und als sie sich auf eine Mauer gesetzt hatte, schaute ich in ihre Augen, stupste ihre Nase an, schloss die Augen und küsste Maurin. Es war ein magischer Augenblick. Danach wollte sie nach Hause, sie sagte noch, dass sie in zwei Tagen in eine Klinik fahren würde, um eine 12-wöchige Therapie zu machen. Ich spürte, wie ich nur noch in ihrer Nähe sein wollte und die lange Zeit ohne sie war mir gar nicht recht. Naja, am Dienstag sollte ich mich noch zwecks einem Treffen melden. Als ich dann anrief, war ich total vor den Kopf gestoßen, als ihr Vater dran war und sagte: „Ne, die is mit ner Freundin weg". Ich saß dann wie Pick Sieben im Auto. Da fiel mir das erste Mal ihre Sprunghaftigkeit auf und es gefiel mir nicht. Dienstag auf Mittwochnacht schrieb ich ihr noch einen Brief und sah sie dann zwei Wochen nicht.

Maurin hatte eine Kontaktsperre erhalten und man konnte sie nicht mal anrufen. Es verging einige Zeit, ich schrieb ihr regelmäßig kleine Karten. Ich machte gerade ein Praktikum bei einer Firma in Göttingen und hatte die Zeit dafür. Ich hörte, dass sie die Wochenenden in Ebenhausen war, sie meldete sich aber bei mir nicht und war auch nie zu erreichen. Irgendwann bekam ich einen Anruf von ihr und sie sagte mir, sie möchte keine Beziehung mit mir, die Freundschaft zu mir wäre ihr wichtiger. Ich könnte und dürfte sie aber trotzdem in der Klinik besuchen. Tja, zähneknirschend stimmte ich zu.

Ich schrieb ihr fast jeden Tag eine Karte, rief jeden dritten Tag an und bald besuchte ich sie auch, weil sie mir sagte, dass sie pro Woche 2-4 Stunden Ausgang hätte. Leider hatte sie mich auch hier verarscht, weil es gar nicht stimmte. Sie wollte einfach nicht länger mit mir unterwegs sein. Aber das hatte sie mir erst viel später erzählt. Wir fuhren entweder nach Höxter um Tretboot zu fahren oder zum Döner futtern in die City und waren dann meist am Weserufer.

*Mitte August 2002 war es dann soweit, ich hatte sie von ihrem Wochenendausgang gerade wieder nach Hause gebracht. Kurz vorm Tschüss-Sagen, nahm sie einfach meinen Kopf in die Hände und fing an, mich innig zu küssen. Ich war hin und weg und freute mich, dass ich es nun doch geschafft hatte, ihr Herz zu gewinnen. Ich fuhr nun jeden dritten Tag zur Klinik und besuchte sie, wir schmusten im Auto, gingen spazieren und sie erzählte mir von ihrer Mutter, die ihr keinen Unterhalt zahlen will und dass ihr Vater sie aus diversen Gründen vor die Tür gesetzt hatte. Ich dachte schon daran, sie zu heiraten, so verliebt war ich.*

*Als ich wieder mal zu Besuch war, fiel mir auf, dass sie eine sehr große Brandwunde von einem Feuerzeug am Arm hatte. Sie sagte, das hätte sie wegen ihrer Mutter gemacht. Ich konnte es nicht einordnen, warum sie das tat und leider habe ich auch nicht nachgefragt. Tage später hatte sie total kaputte Hände, sie sagte, sie war in einem Wald, hätte sich vor Wut an allen Sträuchern ausgetobt und das ebenfalls wegen ihrer Mutter.*

*Als wir einmal bei einem Griechen waren; sie hatte mich eingeladen; habe ich leider einen blöden Spruch gemacht. Sie legte alles beiseite, sagte, dass dies jetzt zu viel wäre und ich würde sie durch diesen Spruch dazu bringen, wieder an ihre Mutter zu denken. Ich hätte genauso wie ihre Mutter gesprochen. Dann wurde sie schlagartig ruhig. Genauso ruhig wie im Auge eines Tornados, der gleich wieder los legt. Das hat mich in diesem Moment total verunsichert und ich fühlte mich nicht gut dabei. Sie sagte, ich könne nichts dafür, aber es blieb ein bitterer Beigeschmack. Der Spruch war von mir witzig gemeint, nichts worüber man böse hätte werden können. Dennoch brachte mich ihre Art, wie sie darauf reagierte, zum Nachdenken, weil ich es für völlig übertrieben hielt. Diese Art, die sich leider schlecht beschreiben lässt, war für mich ungewöhnlich und hat sich eingeprägt. Der Satz war in der Richtung „Ich hoffe nur, wenn wir verheiratet sind, dass du dich dann nicht als Monster oder Bundeswehrtyp mit Befehlston entpuppst. Um dieses wieder gut zu machen, habe ich mir etwas Besonderes einfallen lassen. Ich machte eine Übernachtung in einer Jugendherberge in Hamburg klar und überraschte sie damit. Die Überraschung war mir sehr gelungen. Maurin musste nur noch das Okay von ihrer Therapeutin holen und schon ging die Reise los. Es war aufregend und spannend zugleich. Das erste Wochenende mit ihr alleine - wie das wohl werden würde. Sie rauchte im Auto, hörte Linkin Park oder Massive Attack, was gar nicht meine Richtung war. Aber was macht man nicht alles, wenn man verliebt ist.*

*Hamburg war was Besonderes, es war der wärmste Sommer, super viele Stechmücken und ein schweinegeiles Wetter. Angekommen in der Jugendherberge, bezogen wir unser Zimmer. Ich hatte ein Doppelzimmer gebucht. Das hieß, es gab ein Bett und noch eines in einem Schrank. Wir bastelten die Betten zusammen und dann machten wir das, was Verliebte so tun. Hamburg rief unsere Namen, wir folgten dem Ruf und ich zeigte ihr den Ortsteil Blankenese. Einer der schönsten Orte in Hamburg. Dort gibt es einen Leuchtturm, den man besteigen und sich dann einen super schönen Sonnenuntergang anschauen kann. Mit Hilfe eines Eddings haben wir unsere Liebe auf den Leuchtturm geschrieben und ich hätte sie mal wieder heiraten können. Ich hatte meine Digicam dabei und schoss viele Bilder. Es machte ihr auch Spaß. Mit dem Sonnenuntergang machten wir die letzte Hafenrundfahrt und es war ein Traum. 25 Grad, die Liebe meines Lebens neben mir, wir kuschelten, Maurin machte Bilder und ich fühlte mich super geborgen in ihrem Arm. Abends gingen wir die Reeperbahn entlang, die Nutten baggerten mich an und Maurin wurde fuchsteufelswild und wollte den Bordsteinschwalben eins auf die Nase hauen. Ich hatte keine Ahnung, was wirklich dahinter steckte. Noch nie hatte eine Frau so für mich eingestanden. So nahm ich ihr Verhalten positiv auf und genoss ein wenig ihre Eifersucht. Hamburg war eine schöne Zeit und vier Wochen später fuhren wir noch mal hin. Leider war es da schon nicht mehr so schön.*

*Die Zeit ging ins Land, Maurin nahm mein Angebot an, erstmal in meiner 35 qm-Wohnung unterzukommen. Wir hatten abgesprochen, dass sie sich bald eine Wohnung suchen würde, aber nach langem Hin- und Herüberlegen suchten und fanden wir doch eine gemeinsame Wohnung. 2 ½ Zimmer für 215 € kalt. „Klasse", dachten wir und machten uns sofort an den Umzug. Hier kam dann der entscheidende Wendepunkt, jedenfalls aus heutiger Sicht betrachtet.*

*Ich hatte meine Digitalkamera verloren und wollte mir vom Versicherungsgeld eine neue kaufen. Hier ist Maurin völlig abgedreht. Aus ihrer Sicht hatte sie auch Recht damit, denn die Umzugskosten waren nicht unerheblich und sie wollte diese nicht alleine bezahlen. Damals wollte ich spontan alles abblasen und sie ihren Weg gehen lassen.*

*Ich muss an dieser Stelle einfügen, dass ich selbst eine Narzisstische Persönlichkeitsstörung habe. Diese Tatsache war mir damals jedoch nicht bewusst. Maurin war letztendlich dennoch happy, als wir zusammen gezogen sind. Viele Freunde haben uns beim Umzug geholfen. Mit dem Einzug war erstmal alles ruhig, hin und wieder gab es Stress mit ihrer Mutter. Schreien, Austicken und ich hielt es für normal. Sie war am Anfang des Telefonierens immer sehr leise, versuchte auf einer normalen Ebene und freundlich zu sprechen. Ich weiß nicht, was ihr ihre Mutter an den Kopf gehauen hat. Aber nur ein einziges Wort reichte, um alles zum Überkochen zu bringen. Es folgte ein dreiminütiges Anschreien am Telefon. Maurin beendete dann das Gespräch schlagartig.*

*Im Dezember hatte ich wieder Arbeit bekommen und habe bei einer neuen Firma angefangen. Maurin rief regelmäßig an, um zu fragen, wie es laufen würde, wie es mir geht, wann ich nach Hause käme. Es tat gut, zu wissen, dass sich jemand Gedanken um mich macht. Maurin hat so oft angerufen, dass man locker „Kontrolle" dazu hätte sagen können. Selbst meine Schwester, bei der ich einmal war, fiel dies mit den Worten auf: „Na,* macht sie wieder Stress?" Maurin wollte eine hundertprozentige Uhrzeit haben und wehe, ich wäre nicht pünktlich wieder zu Hause. Ich hatte zuvor 10 Jahre alleine gelebt und das war ein völlig neues Gefühl. Das erste Weihnachten mit ihr in der neuen Wohnung war schön, aber auch geprägt vom Stress mit dem Weihnachtsbaum.

Nach Weinachten verschlechterte sich die Stimmung rapide. Wir haben nicht mehr dieselbe Sprache gesprochen. Nur noch Missverständnisse, kein Verstehen mehr. Sehr oft habe ich dann meinen besten Freund Daniel angesprochen, der Pfleger im Landeskrankenhaus ist, und er hat versucht, zwischen uns zu vermitteln. Es gab Streit beim Einkaufen. Wer holt was? Wie viel, wovon? Maurin hatte in meinen Augen immer zuviel eingekauft. Sie sagte selbst, sie müsste immer für vier Personen einkaufen gehen. Dann gab es Streit um Geld. Wer bezahlt was? Sie war noch nicht in ihrer Ausbildung und ich kam nicht mit meinem Geld klar. Stress pur!! Irgendwann war es so schlimm, dass sie zu ihrer Freundin Karin ausgezogen ist. Karin war für Maurin wohl mehr, als nur eine Freundin. Maurin verstand es, mein Schamgefühl zu verletzen. Sie holte mich aus dem Schlaf, stand plötzlich mit Karin in unserem Schlafzimmer, holte ihre Sachen raus, machte mir eine Szene wegen der ganzen Situation der letzten Tage. 4 Tage lang musste ich um Maurin kämpfen, ihr schreiben, bis sie plötzlich wieder zu Hause war, in unserem zu Hause. Die erste Nacht schlief sie in ihrem Zimmer, ich in meinem, wir sprachen kaum ein Wort.

Die Nacht später vertrugen wir uns wieder, es tat gut miteinander zu reden und die Versöhnung war auch nicht von schlechten Eltern. Maurin wollte von diesem Zeitpunkt an einen Hasen haben. Einen Vogel hatten wir schon, Tchippi ein lieber Wellensittich. Ich hatte meine Bedenken, wegen dem Hasen, aber sie schaffte es, mich vom Gegenteil zu überzeugen und einen kleinen süßen Hasen.

Die Stress- und Wutausbrüche wurden immer regelmäßiger. Für mich bedeutungslose Sätze brachten sie zum absoluten Abdrehen. Normale Sätze, die für sie eine unerfreuliche Botschaft ware:, „Du, ich muss noch mal weg", „Ich komme später", „Ich habe meinen Personalausweis vergessen", „Ich habe nur noch wenig Kohle". Oft konnte ich sie zur Weißglut bringen, wenn es um das Thema Geld ging oder ich was vergessen hatte und wir dadurch unter Zeitdruck kamen. Auch kann ich mich noch daran erinnern, dass ich sie auf eine fehlende Unterhaltszahlung von ihrer Mutter hingewiesen habe, als ich nicht alles alleine bezahlen konnte. Sie schrie mich an und sagte, dass sie wüsste, dass sie mir auf der Tasche liegen würde. Später hat sie sich dann entschuldigt. Ich habe Angst vor ihr bekommen. Ich kam mir vor, wie in einem Minenfeld, ohne zu wissen, wann die nächste Mine hoch geht. Zwischenzeitlich hatte ich immer mehr Stress in der Arbeit und ich kam mit meinen Chef überhaupt nicht mehr klar. Ich fing an, Maurin davon zu erzählen. Doch hier gab es dann keine Hilfe für mich oder Verständnis, sondern nur Vorhaltungen. Wenn es an der Zeit war, mit Maurin über meine Gedanken, Probleme und was mich sonst beschäftigt zu sprechen, hat sie es immer wieder geschafft, dass ich mich hinterher noch schlechter fühlte, als vorher. Ihre Kunst war, aus einer Mücke einen Riesen-Elefanten in pink zu machen. Untermauert von ihren Schreianfällen und Zornesausbrüchen, traute ich mich fast nichts mehr zu erzählen. Auch gab es eine Zeit, in der Maurin regelmäßig meine SMS kontrollierte und sie dann manchmal sogar löschte. An ihrem Geburtstag im Februar habe ich meine Kündigung erhalten und sie wollte mich abholen. Ich sagte ihr, sie müsse nicht kommen. Schließlich kam sie doch. Zum Geburtstag schenkte ich ihr an diesem Tag 20 weiße Rosen die sie dann zur Strafe vertrocknen ließ. So hat sie es mir später gesagt.

Meine Arbeitslosigkeit war wahrscheinlich für Maurin schwer zu ertragen und die viele gemeinsame Zeit bekam uns so rein gar nicht. Letztendlich habe ich mich im Juni 2003 über ein Zeitarbeitsunternehmen in Hannover beworben. 14 Tage später konnte ich dann auch schon bei einer neuen Firma anfangen. Jeden Tag bin ich von Göttingen nach Hannover gefahren und irgendwann hat mich das dann meinen Twingo gekostet: Motorschaden. Ich rief sie an und ihre Welt kam tierisch in Wanken, sie war geschockt und fand keine Worte. Nachdem klar war, dass ein neuer Motor für den Twingo 2000 € kostet, hatte mich Maurin gebeten, zu ihrem Vater zu fahren. Dort angekommen, wir saßen im Garten, fragte ihre Stiefmutter Karin, was los sei. Schlagartig brach Maurin in Tränen aus und sagte, sie könne nicht mehr. Sie erzählte dort erstmals von meiner Vorbereitung der privaten Insolvenz, dass das Auto kaputt ist und 2000 € kosten würde. Ihre Stiefmutter war verdutzt: „Wieso Maurin, du hast doch ein Sparbuch mit 6000 €?" Maurin musste erzählen, dass die 6000 € nicht mehr da waren. Wofür alles weg gegangen ist, könne sie nicht mehr sagen. Ihre Eltern waren fassungslos. Noch schlimmer wurde es für mich, als sie von meinen Schulden erzählte, ich wollte eigentlich gar nicht, dass sie darüber spricht.

Im Folgenden gab es immer wieder die gleichen Stressregularien. Schließlich habe ich dann den Fehler gemacht und mich abfällig per SMS bei einer Bekannten ausgekotzt. Diese Bekannte hatte dann nichts Besseres vor, als dieses SMS Maurin zu zeigen. Maurin ist abgedreht, hat Geschirr, Bilder und alles, was es von mir zu finden gab, kurz und klein geschlagen. Ich kam nach Hause, sie hatte mich schon auf dem Handy rund gemacht, und hat mir nach und nach drei heftige Ohrfeigen verpasst. Beim dritten Male habe ich mich dann gewehrt. Schließlich waren wir beide am Ende.

Maurin hat sich in dieser Zeit wieder regelmäßig bekifft. Ich habe davon Abstand genommen. Sie liebte es, sich selber zu schädigen. Geritzt hat sie sich in der Beziehung nur einmal. Auch hier war wieder Beziehungsstress der Grund: sie dachte, ich würde fremdgehen. Es gab Zeiten, da verlangte sie 300 Prozent Aufmerksamkeit, sie wollte alles und wehe, wenn sie dies nicht bekam. Unsere Beziehung fing an, zu sterben. Und keiner von uns beiden merkte es, obwohl es Phasen gab, in denen ich schon die Koffer packen wollte und sie mich mit dem Vorwurf, ich würde flüchten, zurückgehalten hat.

Maurin schaffte viele Dinge im Haushalt überhaupt nicht. Den Hasen und den Vogel musste ich immer sauber machen und Essensreste entsorgen, ging bei ihr überhaupt nicht.

Na ja, weil wir Stress mit dem Vermieter hatten (Wasserschaden in der Wohnung), haben wir uns eine neue Wohnung gesucht und gefunden. Den Umzug habe ich mit meiner Schwester mehr oder weniger alleine gemacht. Nur Maurins Schwester hat noch mit angefasst. Ich war super sauer auf Maurin, die Fahrschule vorzog, anstatt beim Umziehen zu helfen. Leider war ich nicht in der Lage, mal auf den Tisch zu hauen und ihr die Meinung zu sagen. Maurin fing an, sich regelmäßiger mit meiner Ex-Freundin Birgit zu treffen. Sie kifften regelmäßig und ich musste meist zugucken. Irgendwann fragte mich Birgit, ob Maurin auf Frauen stehen würde, Birgit war bi. Ich verneinte und bekam Angst, dass mir Birgit meine Maurin wegschnappen könnte. Maurin sagte, sie ließe sich nicht wegschnappen. Tage gingen ins Land und inzwischen waren 1½ Jahre rum, in der wir unsere Beziehung geführt haben. Maurin setzte mir dann eines Tages die Pistole auf die Brust, sie würde sich in 60 Tagen von mir trennen, wenn ich mit meinem Geld nicht klar kommen würde. Ich war wie vor den Kopf geschlagen. Ich war wütend, sauer auf Maurin und wollte nicht mehr mit ihr sprechen. Sie fing an, immer mehr zu kiffen, tauschte sich mit Birgit aus. Sie fingen an, über ihre Selbstverletzungen zu reden und ich stand fassungslos daneben. Birgit schlug regelmäßig mit dem Kopf gegen die Wand und erzählte davon ausgiebig und oft. Ich kam mir vor wie das fünfte Rad am Wagen. Die Tatsache, dass beide am Kiffen waren und über eine Sache gesprochen haben, von der ich keine Ahnung habe, hat mich dazu gemacht. Eines Tages war es dann soweit, der Verdacht bestätigte sich, dass Maurin und Birgit etwas miteinander haben. Ich schnüffelte in Maurins E-Mail-Konto und wurde leider fündig. Maurin schrieb Birgit, wie schön der Freitag doch war und dass sie es nicht bereut hätte, mich und die Arbeit zu belügen und blau zu machen.

Okay, ich hatte geschnüffelt, also musste ich auch mit der Konsequenz leben. Am Samstag wollte ich mit Maurin reden und grillen, Maurin hatte abgesagt und kam nicht nach Hause. Die ganze Nacht blieb sie weg, ich machte mir Sorgen, sprach auf ihre Mailbox. Sonntagmorgen um 9 Uhr kam sie dann doch, brachte sogar Brötchen mit. Plötzlich drehte sie wieder ab, mit der Frage, warum ich ihr morgens um 3:30 Uhr auf den Anrufbeantworter rede, dass ich mir Sorgen mache ... ich stand nur noch fassungslos da. Sonntag auf Montag blieb sie wieder weg. Und am Montagabend hat sie mir dann eröffnet, dass sie die letzten drei Tage nicht mehr als Beziehung ansehen würde und Sex mit Birgit hatte.

## Lukas Trennungsverarbeitung

ich blättere in der vergangenheit
schaue mir bilder von hamburg an
von dir und mir
glücklich waren wir ...

was würde ich darum geben
und was würde ich wohl
dafür tun
um noch einmal die zeit
zu genießen, die heute
wie damals so wertvoll
war

heute blicke ich zurück
du bist gegangen
unabänderlich
geblieben ist der schmerz

ich ignoriere den schmerz nicht
ich begrüße ihn wie einen freund
ich weiß, dass er noch eine weile
bleiben wird, als GAST

in dem wissen, dass er bald gehen wird ...

und eines möchte ich noch schreiben,
wenn ich zurück komme,
an unseren ort
dann weiß ich,
du bist mir nah
auch wenn du so fern ...

*Maurin hatte sich ihre schwarzen Haare abgeschnitten, sie pink-rot gefärbt und sie war für mich nicht mehr da. Ich habe die ganze Nacht nur noch geheult, sie drohte mir mit Rettungswagen, wenn ich mir was antun würde, was völlig außer Frage stand. Zu meinen Tränen sagte sie, dass sie nicht glauben würde, dass diese echt wären. Die Nacht habe ich nicht geschlafen, am Tag ein wenig und ich versucht,e über die ersten Stunden hinweg zu kommen.*

*Maurin pennte so oft wie es ging bei Birgit und ich war mit mir alleine in dieser schrecklichen Wohnung, in der wir erst seit 8 Wochen lebten und eine Kündigungsfrist von 3 Monaten hatten. Ich habe unsere Vermieterin angerufen und ihr reinen Wein eingeschenkt. Sie versuchte, unsere Beziehung zu kitten, Maurin lehnte dankend ab. Immer mehr und öfter wurde Maurin aggressiver, sie kaufte für 300 € Drogen und ballerte sich nur noch zu.*

*Ich bin dann schließlich freiwillig auf Anraten meiner Ärztin ins Landeskrankenhaus, um von dieser Situation erstmal Abstand zu gewinnen. Immer, wenn ich in unsere Wohnung musste, hatte ich Angst, Maurin zu sehen. Jedes Mal, wenn wir miteinander sprechen mussten, brauchte es nur 3 Sätze und die Hütte war am Brennen. Im LKH fing ich an, Therapie zu machen und setzte mich mit dem Thema Borderline auseinander. Ich suchte mir eine Wohnung. Schließlich war dann die gleiche Wohnung wieder frei, aus der ich vor 2 Jahren ausgezogen war. Ich fing an, meine Trennung damit zu verarbeiten, dass ich alle Klamotten verkauft habe, die mich an Maurin erinnerten.*

*Ich begann, meine neue Wohnung einzurichten, kaufte mir sogar ein Hochbett. Es gab in dieser Zeit immer wieder Kontakt. Mal zum Ausflippen und mal ruhige Gespräche. Nachdem ich aus der alten Wohnung schon im Juli ausgezogen war und Maurin dann im September, habe ich alleine die alte Wohnung übergeben. DieÜbergabe war für mich der Zeitpunkt, Distanz aufzubauen. Ich änderte meine Telefonnummern und ich gab ihr keine Gelegenheit mehr, mich zu kontaktieren. Meine Trennung habe ich zum Beispiel mit einer Fahrt nach Hamburg bearbeitet. Der Leuchtturm war ein wichtiger Punkt für mich. Ich nahm einen Elbestein, belud ihn mit allen Erinnerungen, die ich hatte, und ließ ihn damit in die Elbe fallen. Da liegen Sie nun die Erinnerungen, sicher in der Elbe.*

*Auch mache ich seit August 2004 eine Gruppentherapie und erwähne dort hin und wieder Maurin. Die meiste Hilfe gab es mir, mein Online-Tagebuch zu führen, um alles, das mich beschäftigt einfach aufzuschreiben. Zu ihrem 22. Geburtstag bekam sie anonym 22 weiße Rosen als Friedenszeichen von meiner Seite. Und jetzt zuletzt einen Abschiedsbrief:*

*Hallo Maurin,*
*ich habe lange mit mir gehadert, ob ich dir wirklich schreiben soll und warum ich es überhaupt machen sollte. Aber ständig und ewig geht der Gedanke mir durch den Kopf „Schreib ihr einen Brief". Ich selber kann nicht mal sagen, welchen Zweck dieser haben soll. Ich möchte keine neue Geschichte anfangen oder den Versuch dazu starten, ich möchte hier keine Vorhaltungen machen oder Dich irgendwie verletzen.*

*Aber auch ich möchte nicht verletzt werden, ich möchte nicht die Hose runter lassen oder Fantasien wecken wie „es geht ihm schlecht, er schreibt und läuft mir hinterher oder sonst was". Maurin, ich kenne dich nicht mehr, ich weiß nicht, welcher Mensch du geworden bist oder was du denkst.*

*Ich weiß, dass wir von Anfang an keine Chance hatten, dass unsere Beziehung hätte funktionieren können. Ich war nicht in der Lage, mich selber zu lieben und wenn ich mich selber nicht lieben konnte, wie sollte ich es schaffen, dich zu lieben. Weil ich dich brauchte, Maurin, liebte ich dich – so habe ich unbewusst gelebt. Ich will und kann nicht sagen, dass ich angefangen hätte, mich selber zu lieben, aber ich versuche, es mir bewusst zu machen.*

*Ich weiß nicht, ob du in deinem Leben erfahren hast, geliebt zu werden, aber ich glaube die ständigen Prügel deiner Mutter hatten damit sehr wenig zu tun. Hier stellt sich für mich die Frage: Wie kann jemand lieben, der vielleicht nie Liebe bekommen hat und einen Partner hat, der sich selber nicht lieben kann und somit um Liebe von anderen bettelt?*

*Das ist der Kern, der mir klar gemacht hat, es gab von Anfang an keine Chance und das macht mich sehr traurig. Die Tatsache, dass ich meine Wut immer gegen mich selber gerichtet und nie auf den Tisch gehauen habe, hatte zur Folge, dass es immer einen schlecht gelaunten Lukas gab. Wie oft hast du gefragt, was los sei! Ich hatte nie eine Chance, es zu schaffen, dir zu sagen, wie viel Wut gegen mich selber in meinem Bauch war. Der Ausläufer davon war mein Frust, den ich sehr oft an dir abgelassen habe. Dafür, Maurin möchte ich mich aufrichtig bei dir entschuldigen. Ich denke, es wird mir langsam klar, dass dieser Brief ein „anderer Abschiedsbrief" wird. Ich bin mir nicht sicher, ob wir eine Chance haben, ein letztes abschließendes Gespräch zu führen und bin froh, dass mir endlich dieser Brief gelingt.*

*Kannst du dich daran erinnern, wenn wir Stress hatten, wie oft ich anfing abzuwaschen oder sonstiges zu machen?! Diese Aktionen waren nur dafür gedacht, um dein „Wohlwollen" wieder zu bekommen und dass du mich wieder lieb hast ... Betteln um Liebe! Ich weiß nicht, ob du dieses auch so sehen wirst, vielleicht auch anders – egal, denn ich möchte es einfach nur loswerden. Ich habe viele Dinge gemacht, die auch kein*

*Krankheitsbild der Welt entschuldigen könnte, aber vielleicht kannst du eines Tages verstehen, warum ich dieses und jenes gemacht habe.*

*Es gibt Dinge, die ich ganz klar vermisse, die Sonntagabende bei deinem Vater, deine Zwischendurch-Anrufe, deine Oinks, Schnueffs und Nöffs und deine kalten Füße. Jetzt sind es alles Erinnerungen, die langsam und irgendwann verblassen werden. Aber Hamburg werde ich niemals vergessen! Dazu habe ich ein Gedicht geschrieben, dass ich diesem Brief beilege. Ich glaube, was es auch sehr schwer gemacht hat, war die Tatsache, dass es ein inneres Kind in mir gibt, welches gerade mal vielleicht 5 Jahre alt ist. Einen erwachsenden Mann zu sehen, der aber gerade im Kopf ein Kind ist, kann nicht gut gehen, wenn man es nicht weiß.*

*Ich weiß nicht, wie es dir geht, ich meine, ein Gefühl von Traurigkeit wahrgenommen zu haben, als ich dich im März bei Real getroffen habe. Du alleine weißt, ob es stimmt. Bei diesem Gefühl mache ich mir Sorgen um dich! Auch wenn meine Sorgen berechtigt wären, so ist mir bewusst das meine Hilfeversuche, um wieder etwas gut zu machen, nicht richtig wären, da DU eigenverantwortlich für dein Leben handeln musst und ich dir nix abnehmen kann. .... Wenn es doch mal darum geht, dich in einem „Notfall", der aber nur dich betrifft, von A nach B zu bringen, dann bin ich bereit dazu.*
*Alles Gute!!!*

*Wenn ich heute auf diese Beziehung zurückschaue, dann kann ich sagen, es war eine erfüllte Beziehung. Maurin war ein Mensch, der sehr gerne Verantwortung für andere übernommen hat. Es gefiel mir, dass sie immer ein Auge auf mich hatte, was ich gerade mache, wo ich bin, wie lange ich noch in der Arbeit bleibe, wie lange ich noch fahren muss oder sie sich für meine Probleme stark gemacht hat. Maurin hat auf meine Ernährung geachtet, sie liebte es, wenn ich koche, sie liebte gutes Essen. Sie hat sogar geguckt, was ich für Klamotten anhatte: „So gehst du nicht mit mir weg." Sie hat mir gut zugeredet, wenn es mir schlecht ging. Maurin war da!*

*Ihre Zuwendung hatte ihren Preis. Sie verlangte dafür 300 Prozent Aufmerksamkeit und wenn sie diese nicht bekam, weil ich gerade mal wieder vor meinem PC gesessen bin, wurde sie sauer. Sie setzte sich einfach auf meinen Schoß, vor dem Monitor und wollte, dass ich mich um sie kümmere und nicht um den dummen Rechner. Das sorgte immer wieder für Ärger. Auf die Frage, womit mich Maurin am meisten verletzt hat, würde ich antworten, es war ihre Art, wie sie mich immer wieder vor anderen bloß gestellt hat. In ihrer Ausbildungsklasse hatte sie behauptet, ich hätte sie verprügelt, sie gar verlassen wegen einer anderen. Und dass sie in meinem Freundeskreis erzählt hat, dass ich bei einer Gay-Line angerufen habe, allen beim LKH erzählt hat, dass ich private Insolvenz mache und wenn ich Mist gebaut habe, mich durch Erzählungen und Kommentare bei ihrem Vater richtig bluten hat lassen. Sie kannte hier keine Grenzen. Es störte mich auch sehr, dass sie sich nie um ihre Tiere gekümmert hat, nie sauber gemacht hat und ich sie nach unserer Trennung noch lange versorgen musste.*

*Es gab noch mehr Dinge, die Maurin aufgrund ihrer Persönlichkeitsstörung „Borderline" und ihrem Extrem-Kiffen (2g am Tag) nicht auf die Reihe gebracht hat: Sie lachte nicht mehr, schob Panikanfälle, das Blitzen aus ihren Augen war verschwunden, ihre schwarzen Haare waren weg und sie sagte von sich selber, sie sei eine verkappte Lesbe. Nun heute, nach fast einem Jahr, sind viele Dinge bereits verarbeitet. Hier beim Schreiben ging es mir noch mal verdammt nahe, aber jetzt fühle ich mich besser. Es gab eine Zeit, da habe ich fast jede Nacht von Maurin und Birgit geträumt. Heute vielleicht noch einmal im Monat. Meine Erinnerungen an sie fangen an, zu verblassen und doch vermisse ich sie ganz schön. Die Trennung ist für mich nicht einfach gewesen. Es war das erste Mal, dass sich nach langer Zeit eine Frau von mir trennt. Der Aufenthalt im LKH hat mir sehr viel Ruhe und Stabilität gegeben, um meine Gedanken neu zu ordnen. Die Gruppenrunde, die ich einmal die Woche besuche, nicht wegen der Trennung, sondern wegen meiner Narzisstischen Persönlichkeitsstörung, hilft mir aber auch, über Maurin zu sprechen und was da passiert ist. Ich habe Menschen gefunden, mit denen ich über sie sprechen und mein Online-Tagebuch füttern kann. Wichtig ist der Wille, „Abschied zu nehmen und aktiv zu sein". Ich bin kein Freund davon, „die Hände in der Schoß zu legen". Wenn man die Kraft besitzt, sollte man versuchen, wieder einen aufrechten Gang hinzubekommen.*

*Es gibt ein Lied von Laith Al-Deen, mit dem Titel „Der erste Wind". Dieses Lied gibt mir Kraft und lässt mich nach vorne schauen.*

*In diesem Sinne ...*

## 7. Ein Verzeihen gibt es nicht??

Wenn Sie, wie in den vorangegangenen Fallbeispielen geschehen, einmal Ihre eigene Beziehung aus Borderline-Sicht betrachten und das Verhalten Ihrer Partnerin/Ihres Partners auf zwei verschiedene Menschen aufteilen, nämlich in „die Gute"/"die Böse" oder „den Guten"/"den Bösen", dann wird Ihnen klar werden, dass keine von beiden Realitäten für sich gesehen wirklich wahr ist. Sie werden die Highs erlebt haben, die schönen Zeiten, in denen Sie das Glück auf Erden hatten, und Sie werden die schlimmen Tage mitgemacht haben, die Sie sich vorher wahrscheinlich nicht in den schrecklichsten Träumen ausgemalt hätten. Sie werden feststellen, dass Sie diese beiden verschiedenen Verhaltensmuster mitgelebt und mitgefühlt haben. Aber haben Sie wirklich den Menschen gesehen, der hinter Ihrer Partnerin/Ihrem Partner steckt???

Wir haben uns nicht in den Menschen hinter dem Borderline-Syndrom verliebt, weil der sich nie wirklich gezeigt hat, ja, sich gar nicht wirklich zeigen kann, denn das ist ein Symptom der Borderline-Problematik. Sondern wir haben uns in das Kranke dieses Menschen verliebt, in seine Maske, in die Impulsstörung. Wir haben uns in die Highs, die Idealisierung verliebt und wir wollten heilen, wenn wir die Lows, das Leid, in welcher Hinsicht auch immer, mitgemacht haben. Es wird kein Verzeihen geben, wenn Sie nicht anfangen, zu versuchen, den wahren Menschen hinter Ihrer Ex-Partnerin/Ihrem Ex-Partner zu entdecken. Sie werden auch sich selbst nicht verzeihen können, solange Sie diese/diesem nach dessen Verhalten beurteilen. Das Verhalten ist krank, doch dahinter steckt ein Mensch.

Sie müssen aber verzeihen, damit sie wieder frei werden. Das ist nach einiger Zeit bei jeder normalen Trennung notwendig und für niemanden leicht, aber bei der Trennung von einer Borderline-Persönlichkeit eines der schwierigsten Unterfangen. Denn was soll man verzeihen, wenn erstens kein Schuldempfinden beim Partner vorliegt und zweitens man das Bewusstsein über die Krankheit hat. Der erste Fall erklärt sich von selbst und im zweiten Fall ist Verzeihen nicht möglich, weil es sich um eine Krankheit handelt. Ein kranker Mensch, der „Böses" tut, wird in die Schublade „nicht zurechnungsfähig" gesteckt, man kann ihm nichts verzeihen, weil er ja aus kranken Motiven und nicht als Mensch mit einem Gewissen gehandelt hat. Man kann ausschließlich „menschliches" Verhalten verzeihen. Nur wer die freie Wahl zu verschiedenen Handlungen hat, kann in die Verantwortung genommen werden. Borderline-Persönlichkeiten haben keine Wahl. Mit dem Abstempeln zum „Borderliner" entmenschlichen wir unsere Ex-Partnerin/unseren Ex-Partner und nehmen uns damit selbst die Möglichkeit, die Beziehung durch Verzeihen wirklich abzuschließen. Wir denken, dass wir die „Borderliner", weil wir das ganze durchschaut haben, abfällig in eine Schublade schieben könnten. Sie sind einfach krank und destruktiv. Dennoch ist „Borderline" eine Diagnose, die sich einfach ein paar Leute ausgedacht haben, um eine häufig auftretende Störung zu klassifizieren, die aber mit „Menschsein" nichts zu tun hat, wie man genauso negativ und als krankhaft im gesamten Sinne „Mensch-Persönlichkeitsstörung" klassifizieren könnte. Es kommt nur auf den Blickwinkel an. Wenn man aber das Gegenüber als schädigenden „Borderliner" sehen will und nicht als Mensch, dann wird man nicht verzeihen können, sondern seinen (Ex-) Partner borderlinetypisch in „böse" abspeichern. Und dann können wir nicht verzeihen, nicht heilen und somit abschließen mit dem Geschehenen.

Und für uns Angehörige ist es immens wichtig, abzuschließen und den Schritt des Verzeihens zu tun. Die Lösung, einen Menschen mit der Borderline-Persönlichkeit wirklich zu verstehen und damit ihm auch verzeihen zu können, liegt genau darin, **den Menschen hinter der Krankheit** zu sehen. Wenn Sie selbst aufhören, diesen Menschen zu idealisieren, sondern einmal genau anzuschauen. Dieser Mensch ist genauso wie jeder andere, er hat Stärken, Schwächen, Talente, Langweiliges, Großartiges, Fähigkeiten, Unfähigkeiten, gute und schlechte Erfahrungen in seinem Leben gemacht, ist gut und ist böse. Er verdient Würde, genau wie wir und dazu ist er noch ein Mensch der selbst sehr, sehr verletzt wurde. Wenn Sie versuchen, hinter das Verhalten Ihrer Ex-Partnerin/Ihres Ex-Partners zu blicken, um den Menschen dahinter zu sehen, werden Sie wahrscheinlich als erstes ein ganz kleines, sehr verletztes Kind wahrnehmen. Danach werden Sie sich schwer tun, noch weiter zu blicken, aber vielleicht erkennen Sie schemenhaft das, was Ihre Ex-Partnerin/Ihren Ex-Partner wirklich ausmacht. Und auch, wenn Sie es nie ganz genau erkennen werden, was Ihre Ex-Partnerin/Ihr Ex-Partner wirklich für ein Mensch war, Sie werden mit dieser Haltung nach einiger Zeit auf jeden Fall die Seele dieses Menschen ein wenig fühlen können und damit sind Sie am Ziel angekommen:

**Dem Ziel Verzeihen zu können und Ihre große Liebe ziehen zu lassen.**

## 8. Das große Geschenk, dass wir durch Borderline erhielten

Wenn Sie die Trennung weitgehend verarbeitet haben, begonnen haben, wieder in Ihrem Leben zu „fließen", sich wieder selbst erleben, Ihre Lebenslust, Ihre Ideen und Interessen wieder verfolgen, werden Sie erkennen, dass Sie durch diese Beziehung ein großes Geschenk erhalten haben.

Durch die Krankheit sind Sie an Ihre eigenen Grenzen gestoßen, sie haben irgendwann einsehen müssen, dass „es nicht mehr weitergeht". Das ist eine großartige Erfahrung, die Ihren eigenen Horizont über sich selbst großräumig erweitert hat. Mit Sicherheit hat keine andere Beziehung Sie je so weit gebracht, zu erkennen, wie viel Kraft Sie aufbringen können, wenn Sie lieben. Jetzt, wenn Sie sich Ihrer Kraft bewusster sind und Ihre Trennungsverarbeitung abgeschlossen ist, können Sie genau diese Kraft konstruktiv für sich selbst einsetzen.

Sie haben die Erfahrung gemacht, dass eben NICHT alles möglich ist, wenn Sie nur genug geben, machen, tun. Das ist eine sehr gesunde Einstellung, die Sie vor der Beziehung sicher nicht hatten, sonst hätten Sie sich nicht so weit darauf eingelassen. So sind Sie nun viel besser in der Lage, in Zukunft Grenzen zu ziehen, wenn Sie etwas für aussichtslos halten.

Sie werden andere Menschen, die Ihnen begegnen, mit neuen Augen sehen, Sie werden viele „Spiele" erkennen, die Leute um Sie herum spielen und auch mit Ihnen spielen wollen. Da Sie nun diese Spiele durchschauen, werden Sie viel weniger darauf anspringen. Sie haben gelernt, damit umzugehen. Auch werden Sie, vorausgesetzt, Sie haben den Groll gegen Ihre Partnerin/Ihren Partner bereits loslassen können, sich ein neues liebevolleres Menschenbild geschaffen haben. Sie erkennen, dass jeder seine Fehler hat, Sie können „dahinter" schauen und mit viel mehr Verständnis den Macken unser aller Mitmenschen begegnen.

Irgendwann, wenn die Zeit dafür reif ist, werden Sie wieder einem Menschen begegnen, dem Sie Ihre Liebe schenken können. In diese Beziehung werden Sie als wahrlich geprüfter Partner mit ganz neuen, tief verankerten Vorstellungen über den echten Wert einer Beziehung gehen können. Nicht mehr das „Drama", das sich einseitig um eine Person dreht, zählt, sondern das Miteinander, die wahren Werte einer Partnerschaft, wie Vertrauen, Anteilnahme, Respekt, Stabilität. Sie werden die Liebe neu entdecken, die Sie aufgrund ihrer durchdringenden Erfahrungen nun sanft und sachte erleben. Sie werden alle Aspekte der neuen Partnerschaft mit anderen Augen sehen und alle realen, große wie kleine, Beweise der Liebe und Zuneigung, die von Stabilität geprägt sind, besonders zu schätzen wissen.

Vielleicht werden Sie auch, weil sie im Moment durch die „Borderline-Beziehung" *geprägt* wurden, wieder auf Menschen treffen, die an einer Persönlichkeitsstörung leiden, weil Sie es nun irgendwie „anziehen". Sicher werden Sie sich nun wieder enttäuscht fühlen, doch lassen Sie sich nicht entmutigen. Das sind nur (falls es Ihnen passieren sollte) erneute Prüfungen und Verarbeitungsmöglichkeiten, sich selbst weiter zu entdecken.

Zum Schluss möchte ich Ihnen jedoch versichern, dass viele viele Menschen, dass gleiche, zumindest (SEHR(!!!)) Ähnliches durchmachten wie Sie - UND - es geschafft haben, darüber hinwegzukommen. Und auch Sie werden es schaffen, davon bin ich überzeugt.

Dafür zitiere ich hier noch einen kleinen sinnigen Spruch von dem ich nicht weiß, wer der Erfinder ist, nur dass ich es in der Serie: „Für alle Fälle Amy" hörte:

**Am Ende wird alles gut!**
**Und wenn es noch nicht gut ist,**
**ist's noch nicht zu Ende**

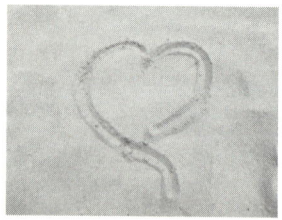

## 9. Nachwort

Nun ist die 3. Auflage dieses Buches erschienen und ich selbst bin nun 3 Jahre von meinem Borderline-Partner getrennt. Seit der Erstauflage habe ich so viele positive Feedbacks erhalten, dass ich zutiefst gerührt bin. Sie zeigten mir, dass viele Menschen in diesem Buch Trost fanden. Dies ist wohl das größte Geschenk, welches man einem Autoren machen kann, das sein Geschriebenes die Menschen berührt und ihnen damit wieder einen Sinn geben konnte. Allen diesen Menschen, auch, wenn sie es vielleicht nun nicht mehr lesen, ein großes Dankeschön. Danke auch dafür, dass ich selbst durch die vielen Feedbacks in dem ausgeprägten Defizit von Borderline-Persönlichkeiten bestätigt wurde und nicht um mein Defizit (ja, auch mich befallen immer noch manchmal Zweifel). Und ich möchte auch diejenigen bestärken, die es schaffen konnten, sich mit ihrem Partner auszusöhnen. Wenn auch nicht unbedingt im herkömmlichen Sinne, sondern für sich selbst und im besten Fall für beide.

Ich kann nun nach 3jähriger Trennung sagen, dass ich in meiner Seele, in meinem Gefühl, wenn ich mich darauf einlasse, immer noch Schmerz fühle und wahrscheinlich wird ein Teil in mir immer verletzt bleiben, wie ich das schon ahnte. Der Schmerz ist nicht mehr bedeutend und alltagsbestimmend, aber er ist da und hat einen schalen Beigeschmack. Auch aus diesem Grund habe ich die Herausforderung gesucht, mich mit meinem Ex-Partner zu treffen (nach 2 Jahren) und ein langes Gespräch zu führen, ich bekam Einfühlung, eben soviel wie eine BL-Persönlichkeit dazu in der Lage ist und er hat seine „Schuld" bekundet. Dieses Gespräch hat mir unheimlich viel bedeutet und gebracht, auch, oder gerade deshalb, weil mir dabei noch klarer wurde, dass mit diesem Menschen eine Beziehung nicht möglich ist.

Er hat inzwischen eine neue Freundin, mit der ich auch Kontakt habe. Sie sind etwa 1 ½ Jahre zusammen und das gleiche Spiel geht dort wieder los: die Nähe wird zu nah und er tut alles ihm mögliche, diese brutal zu zerstören. Wenn ich mit diesem Abstand seine neue Beziehung sehe, bestärkt mich das noch weiter darin, dass eine Beziehung mit einer Borderline-Persönlichkeit nicht möglich ist und er tut mir leid, denn auch er verliert immer wieder bei seinem Spiel – vielleicht auch mehr, als wir, denn wir können uns entscheiden, er scheinbar nicht ...

**Weitere Titel zum Thema Borderline im Starks-Sture Verlag:**

**Partnerbeziehung als Brutstätte von Borderline**
- Borderline-Persönlichkeiten und das Leid ihrer Helfershelfer -
Sonja Szomoru

120 Seiten, broschiert,
ISBN 3-9809496-0-5
12,90 €

Die Borderline-Persönlichkeitsstörung tritt zunehmend in das Interesse der Öffentlichkeit. Trotz vermehrter Presseberichte bleibt das Thema für die meisten jedoch weiterhin in einem diffusen Licht von aggressivem oder autoaggressivem Verhalten Betroffener. Das große Leid von Menschen mit der Borderline-Persönlichkeitsstörung und vor allem von deren Angehörigen ist aber weitgehend unbeachtet. In diesem Buch wird äußerst feinfühlig auf die Problematik dieser psychischen Störung und die negativen Auswirkungen auf die Bezugspartner eingegangen. Besonderes Augenmerk wird auf die Verhaltensweisen der betroffenen Angehörigen gerichtet, denn diese tragen ebenso ihren Teil zum Ausbruch dieser Störung bei.

Für jeden Leser eine aufschlussreiche Lektüre zum Thema und für manchen Partner von Menschen mit der Borderline-Persönlichkeitsstörung vielleicht eine Offenbarung!

**Sofort lieferbar über den Buchhandel oder direkt vom Verlag:**

*bestellung@starks-sture-verlag.de*
Starks-Sture Verlag, Elsässerstr. 24, 81667 München
www.starks-sture-verlag.de

**Wenn lieben weh tut**

- Kommunikationsratgeber für Partner in der Borderline-Beziehung -
Manuela Rösel

180 Seiten, broschiert
ISBN 3-9809496-7-2
16,90 €

„Wenn lieben weh tut" richtet sich in erster Linie an Partnerinnen und Partner, die sich in einer Beziehung mit einem Menschen mit der Borderline-Persönlichkeitsstörung befinden. Diese Verbindungen stellen für die Betroffenen immer eine große emotionale Belastung dar, da sie in einen Strudel von Idealisierung und Abwertung geraten sind und oft nicht mehr weiter wissen.

Die Autorin Manuela Rösel, psychologische Beraterin aus Berlin, beschreibt in ihrem Buch Lösungsmöglichkeiten, angemessen mit dem Partner, der an der Borderline-Persönlichkeitsstörung leidet, umzugehen. Dabei legt sie besonderen Wert auf die Entwicklung der Selbstwahrnehmung von Betroffenen, denn diese wird in der Borderline-Beziehung zunehmend untergraben. Die Autorin gibt wertvolle Informationen über das typische Verhalten beider Seiten. Sie geht insbesondere auf einfühlsame Kommunikation, Grenzsetzung und den Umgang mit charakteristischen Verhaltensweisen, wie doppelte Botschaften, emotionale Erpressung oder Selbstverletzung ein. Zuletzt gibt sie wertvolle Hinweise zur Trennung, sollte diese unumgänglich werden.

Mit dieser Lektüre bekommen Sie effektive Werkzeuge in die Hand, das Gefühl der Hilflosigkeit hinter sich zu lassen und neue Wege zu einem konstruktiven Umgang mit sich selbst und dem Partner zu gehen – damit lieben nicht mehr weh tut.

**Sofort lieferbar über den Buchhandel oder direkt vom Verlag:**

*bestellung@starks-sture-verlag.de*
Starks-Sture Verlag, Elsässerstr. 24, 81667 München
www.starks-sture-verlag.de

## Wer einmal schlägt, wird's wieder tun

- Gewalt und Co-Abhängigkeit in Beziehungen -
Sonja Szomoru

120 Seiten, broschiert
ISBN 3-9809496-8-0
12,90 €

„Wer einmal schlägt, wird's wieder tun" richtet sich an Partnerinnen und Partner, die in einer Beziehung leben, die von häuslicher Gewalt geprägt ist. Trotz Aufklärung, Emanzipation und dem scheinbar freiheitlichen Denken unserer heutigen Gesellschaft, spielt sich hinter verschlossenen Türen eine erschreckend hohe Zahl an gewalttätigen Dramen ab. Alle gesellschaftlichen Schichten sind betroffen und es scheint, dass sich in Deutschland dieses Thema zu einem Tabu entwickelt hat, denn alle verschließen davor die Augen.

Besonders Betroffene sind von Scham- und Angstgefühlen überwältigt und geraten mit der Zeit in einen Teufelskreis, indem die Hilflosigkeit immer größer wird. Das Buch „Wer einmal schlägt, wird's wieder tun" richtet sich an Partnerinnen und Partner, die in einer Beziehung leben, die von häuslicher Gewalt geprägt ist und die einen Ausweg aus dieser destruktiven Situation suchen. Es bietet Aufklärung zum Thema häusliche Gewalt und fördert das Verständnis für sich selbst und gibt somit Hilfsangebote, sich aus der Gewalt zu lösen.

**Sofort lieferbar über den Buchhandel oder direkt vom Verlag:**

*bestellung@starks-sture-verlag.de*
Starks-Sture Verlag, Elsässerstr. 24, 81667 München
www.starks-sture-verlag.de